Das Buch

11. September 2001: Selbstmordattentäter entführen vier Passagiermaschinen und lenken sie direkt ins Herz Amerikas. Tausende Menschen verlieren im World Trade Center, im Pentagon und in den gekaperten Flugzeugen ihr Leben. Die Welt ist geschockt.

Im Fokus der Ermittlungen über das Attentat steht ein Mann: Osama bin Laden. Der aus Saudi-Arabien stammende Multimillionär gilt als Drahtzieher des internationalen Terrors. Mit einer Armee von Fanatikern will er einen »Heiligen Krieg« in die ganze Welt tragen. Dabei pervertiert er den Islam und rückt eine an sich dem Frieden verpflichtete Religion in die Nähe brutaler, unmenschlicher Gewalt. Der im 20. Jahrhundert unter dem Einfluss totalitärer Ideologien Europas entstandene Islamismus ging zwar geopolitisch aus dem Islam hervor, hat aber ansonsten nicht viel mit ihm zu tun. Innerhalb der verschiedenen Terrorgruppen, die sich aus dieser Bewegung rekrutierten, war es Osama bin Laden, der die Weichen für den absoluten Kampf gegen Amerika stellte: Anstatt die Machthaber in der eigenen Region zu unterminieren, solle man lieber den »Großen Satan«, die USA, ins Visier nehmen. Am 11. September 2001 kam Osama bin Laden diesem Ziel einen großen Schritt näher – falls er tatsächlich der Drahtzieher dieses entsetzlichen Anschlags ist.

Die Autoren

Dr. Dr. Michael Pohly, Jahrgang 1956, arbeitete als Dozent am Institut für Iranistik an der Freien Universität Berlin. Sein Buch *Krieg und Frieden in Afghanistan – Ursachen, Verlauf und Folgen seit 1978* weist ihn als anerkannten Afghanistan-Experten aus. Im Verlauf seiner wissenschaftlichen Arbeit über und seiner Reisen nach Afghanistan hat er sich immer wieder intensiv mit Osama bin Laden beschäftigt.

Khalid Durán ist Islamforscher und Anti-Terrorexperte. Er studierte die Sprachen des Mittleren Ostens und Islamwissenschaften in Bosnien und Marokko sowie Soziologie und politische Wissenschaften in Bonn und Berlin. Er hat allein fünf Bücher und zahlreiche Artikel zur Lage des Islam veröffentlicht. Khalid Durán ist Herausgeber des Magazins *TransIslam* und häufiger Gastkommentator bei CNN und im deutschen Fernsehen. Sowohl im Bundestag wie auch im Capitol und im Schwedischen Parlament referierte Durán bereits über Afghanistan und den internationalen Terrorismus.

Michael Pohly • Khalid Durán

Osama bin Laden

und der internationale
Terrorismus

Ullstein

Ullstein Taschenbuchverlag
Der Ullstein Taschenbuchverlag ist ein Unternehmen
der Econ Ullstein List Verlag GmbH & Co. KG, München
Originalausgabe
3. Auflage 2001
© 2001 by Econ Ullstein List Verlag GmbH & Co. KG, München
Konzeption und Realisation: Christine Proske,
Ariadne-Buchkonzeption, München
Redaktion: Sabine Burkhardt
Redaktionsschluss: 24. 9. 2001
Umschlagkonzept: Lohmüller Werbeagentur GmbH & Co. KG, Berlin
Titelabbildung: dpa, Frankfurt
Satz: Josefine Urban – KompetenzCenter, Düsseldorf
Druck und Bindearbeiten: Ebner Ulm
Printed in Germany
ISBN 3-548-36346-6

Inhalt

Vorwort

von Rolf Tophoven

Der 11. September 2001 ist ein ganz normaler Tag in New York. Der Moloch erwacht, und die Menschen strömen zu ihren Arbeitsplätzen. Auch die Büros im World Trade Center füllen sich. Um 8:45 Uhr Ortszeit zerplatzt die Normalität. Eine Passagiermaschine der American Airlines, Flug 011, rast in den nördlichen der über 400 Meter hohen Bürotürme des World Trade Centers. In einem Feuerball zerbirst die Maschine. Ein riesiges Loch klafft im Gebäude. 18 Minuten später, um 9:03 Uhr, kracht der United Airlines Flug 175 vor den laufenden Kameras etlicher Amateurfilmer in den zweiten südlichen Turm der Twin Towers und explodiert. Beide Hochhäuser brennen und stürzen später in sich zusammen. Tausende Menschen sind tot, begraben unter dem Beton-Skelett. Das einstige Wahrzeichen von Süd-Manhattan existiert nicht mehr!

Aber der Horror hält an. Um 9:43 Uhr fällt eine Boeing 757 des UA-Fluges 077 auf den Süd-Flügel des Pentagon. Washington ist wie gelähmt. Um 10:10 Uhr stürzt eine Boeing 757 der UA, Flug 093, in Pennsylvania ab. Später finden Experten heraus, dass die Maschine auf den rund 140 Kilometer entfernten Landsitz des US-Präsidenten Camp David gesteuert werden sollte.

Alle Maschinen sind von Terroristen fast zeitgleich auf Inlandsflügen in den USA entführt worden. Amerika und die gesamte Welt stehen unter Schock. Die schlimmsten Szenarien, von Terrorismusforschern auf unzähligen Symposien immer wieder durchgespielt, wurden übertroffen. Die USA erleben den ersten terroristischen Super-GAU in der Geschichte dieses Gewaltphänomens. Seit dem 11. September 2001 kann es keine Science-Fiction-Filme mehr geben, wie sie Hollywood so oft für uns inszeniert hat – die Realität hat die Fiktion überholt.

Bereits im Februar 1993 schien in New York die Apokalypse nahe. Islamisten inszenierten in einem Garagendeck des World Trade Centers eine riesige Explosion. Sechs Menschen wurden getötet, über 1.000 verletzt. Nur glückliche Umstände, Statik und Schwäche der Bombe verhinderten schon damals den ersten terroristischen Super-GAU. Aber die Botschaft des Anschlags war klar: In New York sollten die Wirtschafts- und Nervenstränge der westlichen Führungsmacht getroffen werden. Außerdem offenbarte der Terrorakt gegen das WTC bereits die Zielrichtung eines möglichen kommenden Terrorismus: die Megametropolen der modernen Industriegesellschaft. In New York zeigte sich, zum ersten Mal auch im Herzen der USA, das Phänomen eines sich immer stärker profilierenden neuen Terrorismus islamistischer Prägung und Inspiration. Diese neue Herausforderung wird von einer fanatischen Energie der Täter gespeist, welche die Lehren des Koran in ihrem Sinne zu einer politischen Ideologie umprägen und interpretieren. Bestimmendes Agens dieser Haltung ist ein tief sitzender Hass auf die westliche Welt und ihre Gesellschaftssysteme. Dieser Hass zielt aber gleichermaßen auf jene arabischen Staaten, die mit dem Westen verbunden sind. Bevorzugtes Feindbild der Islamisten ist auch nach wie vor der Staat Israel – erst Recht nach Beginn des Friedensprozesses zwischen dem jüdischen Staat, seinen arabischen Nachbarn und der PLO unter Yassir Arafat. Israels mächtigster Verbündeter, die Vereinigten Staaten, gelten den Islamisten und ihren Terrorkadern weltweit als »Hort allen Übels« und als der »Große Satan«. Daher konnte es nicht überraschen, dass schon 1993 das World Trade Center ins Fadenkreuz islamischer Extremisten geriet. Die Stadt gilt den Kriegern des »Heiligen Terrors« als Nerven- und Schaltzentrale der gesamten westlichen Welt. Für die islamistischen Eiferer verschmelzen in dieser Metropole die beiden »satanischen Verbündeten«, USA und Israel, zu einer Einheit.

Schon unmittelbar nach der Terrorwelle vom 11. September zeichnen US-Geheimdienste ein erstes Bild der Tatverdächtigen und des Drahtziehers. Die Spur führt in Kreise islamischer Extremisten unter dem Topterroristen Osama bin Laden. Dieser saudische Multimillionär hatte den USA schon seit Ende des Afghanistankrieges (1989) einen »Heiligen Krieg« angedroht und sich mit seiner Terrortruppe »Al-Qa'ida« in den Bergen Afghanistans im Schutze der dort heute regierenden radikalislamischen Taliban-Miliz verschanzt. Die USA sehen in ihm den Ideologen eines antiamerikanischen und antiwestlichen Kreuzzuges. Mit seinen überall auf der Welt implantierten »schlafenden« Agenten und Terrornetzen ist bin Laden für die Supermacht die Inkarnation des Bösen schlechthin.

Relativ schnell nach der Zerstörung des einstigen Symbols für New Yorks Wirtschaftskraft wurden dann in Europa, auch in Deutschland, im Zuge polizeilicher Großfahndungen geheime Zellen des »arabischen Mudjahidin Netzwerkes« (so die offizielle Bezeichnung der Sicherheitsbehörden) entdeckt. Ob bin Laden jedoch selbst den

Terrorkommandos in den USA den Einsatzbefehl gab, muss offen bleiben. Er selbst bestreitet dies vehement. Doch der Saudi sieht sich als »Guru« des islamistischen Terrors. Er kann die Ideen vorgeben, ohne zu handeln. Denn seine Anhänger sind ihm blind ergeben. Sie sind nach der Ausbildung in den Terrorcamps bin Ladens in Afghanistan religiös indoktriniert und terroristisch/paramilitärisch ausgebildet, so dass sie überall in der Welt autonome Zellen und geheime terroristische Infrastrukturen aufbauen, in der klandestinen Abgeschottetheit einer Zelle planen und die Stunde X für einen Anschlag frei bestimmen können.

Typologisch ist Osama bin Laden der neue Typ eines Terroristen. Er verknüpft sein Sendungsbewusstsein, seinen Kreuzzug gegen die »Ungläubigen« mit üppigen Finanzressourcen. Extremismus und Geld führen bei ihm am Ende zum Terrorismus: die makabre Gleichung eines terroristischen »global players« mit einem weltweit verzweigten Finanz- und Terrorimperium. Osama bin Laden ist ein Privatterrorist mit einer Privatarmee, nach seinem Verständnis ein »Soldat Allahs«, der bereit ist unter Missbrauch des Islam Tausende zu töten oder töten zu lassen. Daher gewinnt auch das Bild des internationalen Terrorismus durch die Anschlagsserie in den USA in seinen Dimensionen und in seinem Täterprofil völlig neue Konturen.

Die Szene des nationalen und internationalen Terrorismus, sein Erscheinungsbild und seine Akteure sind um die Jahrtausendwende einem radikalen Umbruch unterworfen. So genannte »klassische« Terroristen der siebziger und achtziger Jahre sind längst Geschichte. Das Image und Outfit des Revolutionärs, wie es noch der Guerillero Che Guevara einst pflegte, ist aus der Mode gekommen. Auch die berüchtigte deutsche »Rote Armee

Fraktion«, die Baader-Meinhof-Bande und ihre Nachfolger existieren nicht mehr. Die »alte« PLO unter Yassir Arafat gibt sich heute moderat und sucht den Ausgleich mit Israel. Und für Auftragskiller wie den Venezolaner Illjich Ramirez Sanchez, genannt »Carlos«, fehlen heute Anlehnungsmächte und Sponsoren. Die Welt hat sich an der Schwelle zum 21. Jahrhundert gewandelt. Gewandelt haben sich damit auch die Formen eines Krieges oder eines Konflikts. Klassische Konflikte zwischen Staaten werden zunehmend durch innerstaatliche Konflikte ersetzt. In Ruanda, Jugoslawien, Tschetschenien oder Afghanistan betraten ganz neue Akteure mit neuen Absichten und Zielen das Konfliktfeld. Falkland- oder Golfkrieg waren Auslaufmodelle einer klassischen Kriegsführung. Der neue Typus des Krieges heißt in der Sprache der Militärexperten »low intensity war«. Darunter versteht man einen Konflikt, der von nicht-staatlichen Gruppen oder Organisationen nach neuen Regeln und für neue Ziele ausgefochten wird. Diesen Typus einer Kriegspartei repräsentieren demnach Gruppen wie die kurdische PKK, die islamistische HAMAS, die Terrorkader des Osama bin Laden, die japanische Aum-Sekte, die 1995 das Giftgas Sarin in die U-Bahnschächte von Tokio einließ, die Drogenkartelle in Kolumbien oder auch die para-militärischen Banden in Bosnien. Diese Krieger der Zukunft operieren nicht mit hochgerüsteten Armeen, sondern in kleinen flexiblen Einheiten und sind von daher konventionellen Streitkräften in der Regel auch überlegen. Die Motive solcher Verbände reichen vom Streben nach Autonomie (ETA im Baskenland) über religiösen Eifer (Islamisten zum Beispiel in Algerien), der mit Wahnvorstellungen (Sekten) gepaart sein kann, bis hin zum reinen Streben nach Macht und Geld.

In diesem Spektrum müssen auch die postmodernen Terroristen angesiedelt werden, denn die Zukunft des Krieges prägt auch die neuen Formen extremistischer und politisch motivierter Gewalt – und dreht die Spirale des Terrors ins dritte Millennium hinein.

Schon heute sind Terroristen Teil des Medien- und Informationszeitalters, dessen Mechanismen sie skrupellos nutzen. Der postmoderne Terrorist transportiert seine Nachricht schlagzeilengerecht über Print- und elektronische Medien – so wird der Anschlag an sich zur Botschaft an die geschockte Weltöffentlichkeit. »Terroristen«, so der US-Experte Bruce Hoffman von der RAND-Corporation, »denken heute darüber nach, wie sie massenhaft morden können«. Und die Statistik belegt diese Aussage. Zwar ist weltweit in den letzten Jahren ein zahlenmäßiger Rückgang der Anschläge zu verzeichnen, dafür jedoch ein sprunghaftes Ansteigen bei den Zahlen der Toten und Verletzten. Denn Terroristen und politisch motivierte Extremisten sind auf größtmögliche Wirkung ihrer Attentate programmiert. Der »neue Terror« will den body-count, er will, wie es der Attentäter von Oklahoma City (168 Tote), Timothy McVeigh, gestand, »möglichst viele Menschen töten«. Die jüngste Terrorserie in den USA ließ diesen Satz in eine apokalyptische Höhe kulminieren. Terrorismus an der Wende vom 20. zum 21. Jahrhundert ist »Krieg«, der nicht erklärt wird, ein »Krieg« ohne klares Feindbild, eine Auseinandersetzung, die keine klaren Frontlinien kennt. Ein terroristischer Feldzug gegen die zivilisierte Welt, ein Feldzug geführt von einer amorphen Masse von in Kleinzellen operierenden fanatisierten Kämpfern. Diese tauchen plötzlich aus einer jahrelang gepflegten scheinbürgerlichen Anonymität auf, verabschieden sich von ihrem normalen Alltagsumfeld und sprengen sich und andere in die Luft. Keine Organisation übernimmt wie beim WTC die »Verantwortung«. Ein Terrorkrieg, der die alten Definitionen vom »Krieg« aufweicht. Der aus Sicht der Täter mit einer billigen Kosten-Nutzen-Rechnung die stärkste Macht der Erde unterläuft und die Menschen, ihre Schalt- und Machtzentralen ins Mark trifft. Ein Triumph des Bösen! – Es ist ein Angriff aus dem Dunkeln, völlig unberechenbar, denn jeder kann Opfer werden. Ob als Tourist im Tal der Könige bei Luxor (1997; 58 Tote) oder 1998 in den US-Botschaften von Nairobi und Dar-es-salam (221 Tote, 5.000 Verletzte). Ob an Bord des US-Zerstörers Cole im Hafen von Aden (17 tote Seeleute) oder in den Twin Towers von New York, die zu einer tödlichen Falle werden. Selbst das wichtigste und größte Militärzentrum der westlichen Welt, das Pentagon, wird teilweise zerstört. Einfach so – durch Terroristen mit suizidalen Ambitionen in einem entführten Verkehrsflugzeug, das sie über dem Symbol der US-Militärmacht abstürzen lassen.

Angesichts dieser jüngsten Dimensionen des Terrors bietet sich ein Vergleich mit den siebziger und achtziger Jahren geradezu an. Für die RAF oder Brigate Rosse in Italien waren Repräsentanten des Staates oder der Wirtschaft die Zielscheiben. Man »selektierte« die Opfer, optierte gegen eine Tötung der »Massen«. Zudem präsentierten sich RAF und Rote Brigaden als relativ kleine, streng hierarchisch strukturierte Gruppen. Die Fahnder wussten, wer sie waren und was sie wollten.

Auch das hat sich inzwischen längst geändert. Die postmodernen Terroristen sind oft Einzeltäter, religiös hoch motiviert, verbunden nur durch eine gemeinsame Lehre, einen Auftrag, ein gemeinsames Ziel. Wenn sie in Gruppen agieren, so existieren häufig keine traditionellen

Hierarchien oder Befehlsstränge. Konventionelle terroristische Infrastrukturen sind aufgelöst. Die Kommandos haben keine Zentrale, nur eine lose Zellenstruktur, was demzufolge Abwehr und Bekämpfung erschwert. Die Planung eines Anschlags vollzieht sich jedoch oft generalstabsmäßig. Die Logistik potenzieller Tätergruppen wird immer perfekter, das Know-how professioneller und nicht selten gekennzeichnet von militärischer Qualität. Hoch sensible Bomben, von Experten geschickt zusammengebastelt, haben die Elaborate früherer Tage ersetzt. Die Vorgehensweise mancher Terroreinheiten trägt die Handschrift von Fachleuten. Sie operieren streng konspirativ und abgeschottet. Die Stärke der Kommandos liegt oft nur bei vier bis fünf Mann. Ein Blick auf die Szene des postmodernen Terrorismus wäre unvollständig ohne die Instrumentarien des Terrors, die neuen Arsenale einer künftigen Gewalt, zu berücksichtigen. Waren in der Vergangenheit – und sie sind es auch in der Regel heute noch – Flugzeugentführungen, Attentate auf Personen, Sprengstoffanschläge und Drohungen »probate« Mittel terroristischer Gruppierungen, so haben sich inzwischen durch einen technologischen »Quantensprung« zum Ende des 20. Jahrhunderts die technischen Möglichkeiten für extremistische Akteure sprunghaft erhöht. Das liegt vor allem in einem verbesserten Zugriff auf Material und Wissen zur Herstellung und Einsatz von NBC-Waffen (nuklear, biologisch, chemisch). Hinzu kommt eine Veränderung in der Motivation und Vorgehensweise einzelner Terrorgruppen bis hin zu einem »apokalyptischen« Fanatismus.

20. März 1995 – Tokio! Mitglieder der japanischen Aum-Sekte verüben einen Giftgasanschlag auf die U-Bahn von Tokio, elf Menschen sterben. Bis zum Anschlag in

Tokio waren das Messer, die Axt, die Kalaschnikow und die Bombe die technischen Instrumente des Terrors. In jenem März wurde eine neue fürchterliche Waffe eingeführt – das Giftgas Sarin. Eine furchtbare Qualität des Terrorismus erschien am Horizont. Der Rubikon war überschritten. Und die Gefahr droht immer stärker, dass Terroristengruppen Massenvernichtungsmittel in die Hände bekommen. In Japan waren Sektierer am Werk, morgen schon könnte es der religiös inspirierte Glaubenskämpfer sein. Außer Terroristen könnten auch Sektierer, Psychopathen oder Kriminelle chemische oder biologische Kampfmittel im Sinne ihrer Ideen und Ziele einsetzen. Ist Sarin demnach die »A-Bombe« des kleinen Mannes, der Armen, Entrechteten und Unterprivilegierten? Horrorvisionen tun sich da auf. Zumal Tokio gezeigt hat, wie so etwas funktioniert. Die Gefahr in der Zukunft besteht in der Nachahmung.

Der Giftgas-Anschlag 1995 in Tokio und die beiden Anschläge auf das World Trade Center (1993 und 2001) haben die Verwundbarkeit der modernen Megametropolen wie mit einem Seziermesser offen gelegt. Neben der Horrorvision von NBC-Waffen in den Händen von Terroristen taucht noch ein weiteres Schreckensbild vor den Augen der Experten auf: Angriffe auf hochkomplizierte Computersysteme und Lahmlegung kompletter Institutionen, Behörden und Militäreinrichtungen durch intelligente Hacker im Dienste von Terroristen. Auch für dieses Szenario sind die Begriffe bereits vorhanden: Man spricht von Computerterror oder Cyberwar bzw. Netwar. Und das Medium schlechthin, einen solchen Krieg zu führen, bieten, ideal ob seiner Anonymität, der PC und das Internet. Der Terrorist von morgen könnte mit einer Tastatur und einem entsprechenden Tastendruck mehr Schaden anrichten als mit einer Bombe.

Die Zerstörung des World Trade Centers hat jedoch gezeigt, dass fanatische Täter durchaus noch mit einem »klassischen Instrumentarium«, einem entführten Flugzeug als fliegender Bombe ihr Ziel erreichen können – wenn sie bereit sind, sich in einem als »heilig« deklarierten Inferno selbst zu opfern. Denn das Phänomen des Kamikaze-Terroristen hat in den letzten 20 Jahren eine wachsende Popularität unter islamisch-fundamentalistischen Terrorgruppierungen erlangt. Besonders im Nahen Osten wurden und werden Ansätze zum Frieden immer wieder durch die »lebenden« Bomben der HAMAS oder des Djihad al-Islami zerfetzt.

Kamikaze-Terror, wie beim Angriff auf die USA in New York und Washington, definiert sich als ein perfides, kaum zu verhinderndes taktisches Einsatzmittel. Ein Suizid-Terrorist unterläuft die Sensoren der hoch technisierten Welt. Er düpiert die Technologie einer Supermacht allein durch sein Know-how für den Anschlag und seinen fanatischen Willen, sich für eine »heilige Mission« zu opfern. Das Profil einer Suizid-Operation lässt sich wie folgt nachzeichnen: Selbstmordkommandos verursachen viele Opfer und immensen Sachschaden. Sie unterminieren die Moral der Bevölkerung. Weltweites Medieninteresse ist garantiert. Unter taktischen Aspekten kann der Terrorist selbst bestimmen, wann die Bombe zu zünden ist oder wann er als Kamikaze-Pilot das World Trade Center ansteuert. Ist das Suizid-Kommando einmal auf seinem Weg, ist der »Erfolg« seiner Aktion so gut wie garantiert. Die Abwehrchance ist gleich null. Ein weiterer »Vorteil« für die Planer einer Selbstmordaktion liegt darin, dass kein

Fluchtweg für die Täter ausgearbeitet werden muss. Die Mission ist ein Trip ohne Wiederkehr.

Die Katastrophe von New York und Washington hat – auch zur Überraschung vieler Experten – gezeigt: Noch braucht der terroristische Massenmörder am Beginn des 21. Jahrhunderts die immer wieder beschriebene Horror-Vision mittels der B- und C-Waffen-Apokalypse nicht. Gegenüber einem Terrorangriff mit Giftgas wäre die herausgeforderte Gesellschaft ihrerseits ohnmächtig. Eine Vorwarnzeit gibt es nicht. Die Abwehrchance ist gleich null. Traditionelles Krisenmanagement greift dann erst recht nicht mehr. Die Skala der Schreckensszenarien scheint aber auch jetzt noch nicht ausgereizt zu sein! Weitere apokalyptische Optionen sind möglicherweise nur verschoben. Denn seit dem 11. September 2001 kann nichts mehr ausgeschlossen werden.

Das Buch will einen ersten Einstieg in jene Thematik liefern, in der Osama bin Laden, der Hauptverdächtige der Katastrophe von New York, schon seit Jahren eine Schlüsselrolle spielt. Vorrangig geht es also darum, ein informatives Porträt bin Ladens zu zeichnen und wichtige Hintergründe aufzuzeigen.

Rolf Tophoven, im September 2001

Djihad – der »Heilige Krieg« der Islamisten?

Gemäß einer islamischen Überlieferung kamen die Gefährten Muhammads triumphierend aus einer Schlacht zurück, als der Prophet folgende Worte an sie richtete: »Gut, diese Schlacht ist gewonnen. Das war aber nur der Kleine Djihad, nun beginnt der Große Djihad.«

Die traditionelle Bedeutung des islamischen Begriffs Djihad

Für was stehen nun aber diese Begriffe, die allenthalben als Motiv der Terroristen genannt werden, die der Attentate am 11. September 2001 beschuldigt werden? Djihad bezeichnet in der islamischen Welt primär ein ethisches Prinzip, eine Art moralischer Wiederaufrüstung. Die meisten Muslime verstehen darunter Engagement für eine gute Sache. Jede positive Anstrengung wird als Djihad bezeichnet, vor allem wenn damit Entbehrungen verbunden sind, wie etwa bei einem Universitätsstudium.

Wörtlich bedeutet Djihad zunächst »Anstrengung« und »Kampf«. Mit dem Großen Djihad wird ein Akt der

Selbstüberwindung, eine Art der Selbstläuterung (*djihad bi-n-nafs*) bezeichnet.

Ein Mensch, der den Djihad ausübt, heißt Mudjahid. Das Gegenstück dazu bilden die Qa'idin (»die, die zu Hause sitzen bleiben«), also die Drückeberger.

Nur unter ganz bestimmten Umständen wird der Begriff Kleiner Djihad auf den Kampf mit Waffen angewendet. Doch dazu müssen bestimmte Bedingungen erfüllt sein: Voraussetzung dafür ist immer, dass Gläubige (das schließt Juden und Christen mit ein) an der Ausübung ihrer Religion gehindert werden. Das heißt, nicht jeder Krieg, nicht einmal jeder Verteidigungskrieg, darf als Djihad bezeichnet werden, sondern nur wenn er nachweislich gegen Menschen geführt wird, die aktiv gegen Religionen vorgehen.

Das Ziel der genauen Definition konnte sich allerdings nicht immer behaupten, da religiöse und politische Interessen sich oft schwer trennen lassen.

Beispiele aus der Geschichte

Eine herausragende Bedeutung kam dem Djihad im Mittelalter zu, als die Eroberungsversuche der abendländischen Christenheit eine existenzielle Bedrohung für den Islam darstellten. Nach dem Niedergang der Kreuzfahrerstaaten verebbte die letzte große Welle des Djihad in der alten Zeit im 13. Jahrhundert.

Als die Engländer Indien besetzten, gab es eine große Debatte, ob der Widerstand gegen die Fremdherrscher zum Djihad erklärt werden solle. Die Entscheidung fiel dagegen aus, weil die korrekten Voraussetzungen dafür nicht gegeben waren: Die Briten behinderten die Menschen nicht in der Ausübung ihrer Religion. Die Muslime durften weiter zur Moschee gehen, im Ramadan ihre Fastenregeln einhalten und die Pilgerfahrt nach Mekka vollziehen.

General Franco gewann den Bürgerkrieg dank seiner marokkanischen Elitetruppe, was eine Menge berechtigter Fragen provozierte: Was veranlasste die schlecht bezahlten Kolonialsoldaten, sich mit ganzem Herzen für die Sache ihrer Unterdrücker einzusetzen? Es stellte sich heraus, dass Francos Kolonialbehörde mit dem Koran und der islamischen Theologie bestens vertraut gewesen war. Den muslimischen Soldaten hatte man gezielt erklärt, in Madrid seien Gottlose an der Macht, die Kirchen zerstörten und Nonnen vergewaltigten. Die Muslime betrachteten es aufgrund dieser Fehlinformation als ihre Pflicht, den Gläubigen gegen die Ungläubigen beizustehen. Daraufhin zogen die todesmutigen Marokkaner in den Djihad gegen »die religionslosen Hunde« (*al-kilab billa din*).

Die folgenschwere Umdeutung der islamischen Tradition durch Omar Abder Rahman

Überall in der Welt reagieren Muslime sehr empfindlich darauf, wenn Nicht-Muslime den Begriff Djihad als »Heiligen Krieg« übersetzen. Sofort erläutern sie den Unterschied zwischen dem Kleinen Djihad und dem Großen Djihad. Auf keinen Fall wollen sie den Islam als militant verstanden wissen, vielmehr ist er für sie die Religion des Friedens. Das Wort Islam ist gewissermaßen identisch mit dem Wort für Frieden (*salam*), und der muslimische Gruß lautet entsprechend auch »Friede sei mit Euch« (*salam 'alaikum*).

Doch in den siebziger Jahren des 20. Jahrhunderts geschah etwas, was die meisten Muslime in der Welt noch gar nicht wirklich begreifen wollen. Es entstand eine neue »Schule« oder Denkrichtung, basierend auf einer ganz anderen Interpretation des Begriffs Djihad. In Ägypten verfasste der blinde Student Omar Abder Rahman an der altehrwürdigen Azhar, einer der berühmtesten theologischen Hochschulen des Islam, eine 2.000 Seiten umfassende Dissertation zum Thema Djihad. Darin argumentierte der Doktorand, die Überlieferungen vom Kleinen und Großen Djihad seien erfunden, der Prophet Muhammad habe so etwas nie gesagt. Djihad bedeute nur eines, nämlich zur Waffe zu greifen und die Ungläubigen aufzufordern, den Glauben anzunehmen oder aber sich zu ergeben und sich der muslimischen Herrschaft unterzuordnen. Alle anderen Interpretationen des Begriffs seien nichts als Apologetik (wissenschaftliche Rechtfertigung von religiösen Lehrsätzen, d. Red.) und nur aus der Furcht vor den übermächtigen Kolonialmächten geboren. Das Gerede von der Selbstläuterung als Großem Djihad sei verwerflich, damit mache man sich nur lächerlich.

Dem fügte der Doktorand noch die – historisch unhaltbare – Erklärung hinzu, der Islam habe sich stets nur mit der Waffe durchgesetzt. Ohne Waffengewalt wäre es nie zur Verbreitung des Islam über große Teile der Welt gekommen. Und auch in Zukunft werde der Islam sich nur mit Waffengewalt behaupten können.

Diese Sicht wurde von Jüngern des blinden Religionsgelehrten schnell aufgegriffen. Einer von ihnen, Abdes Salam Farag, schrieb ein Büchlein, das man nachträglich sogar als die Bibel der Sadat-Mörder bezeichnet hat. Der

Titel lautet »Die abwesende Glaubenspflicht«, er könnte aber auch als »Der verloren gegangene Glaubenspfeiler« übersetzt werden. Dazu muss man wissen, dass der Islam auf fünf Glaubenspfeilern beruht, gemäß des Ausspruchs des Propheten »Der Islam baut auf fünf« (*buniya l-islam 'ala khamsa*):

1. das Glaubensbekenntnis,
2. das rituelle Gebet,
3. die Armensteuer,
4. das Fasten,
5. die Pilgerfahrt.

Farags Darstellung erweckt den Eindruck, als hätte es ursprünglich noch einen sechsten Pfeiler gegeben, nämlich den Djihad. Die nach seiner Ansicht an einem Minderwertigkeitskomplex leidenden Muslime hätten jenen Pfeiler jedoch fallen lassen, um sich bei den nicht-muslimischen Mächten anzubiedern.

Das ist höchst erstaunlich, lernen doch muslimische Kinder im Religionsunterricht den Spruch des Propheten von den fünf Säulen. Die Schrift des in Zusammenhang mit dem Sadat-Mord hingerichteten Abdes Salam Farag fand keine weite Verbreitung – außer in Extremistenverbänden. Hier spielt sie allerdings eine entscheidende Rolle. Ali Ben-Haj, der zweite Mann in Algeriens Djihad-Partei FIS (*Front Islamique du Salut*), will die Djihad-Pflicht gar als dritten Glaubenspfeiler einschieben, gleich nach dem Glaubensbekenntnis und dem Gebet. Damit wäre die traditionelle Religion des Islam von Grund auf umgedeutet.

Wären diese Neuinterpretationen der Mehrheit der Muslime in der Welt bekannt, käme es mit Gewissheit zu einem Aufschrei der Empörung. Da diese Umkehrung des Islam aber selten an die Öffentlichkeit gelangt, sympathisieren viele Muslime durchaus mit den Djihadisten – oft in der Annahme, es handle sich bei ihnen um besonders eifrige Gläubige, denen von korrupten Behörden Unrecht getan werde. Erschwerend kommt hinzu, dass eine neue Generation von Ungebildeten herangewachsen ist: Millionen von Jugendlichen fehlt es nicht nur an einer ordentlichen Schulbildung, sondern auch an Kenntnissen über ihre angestammte islamische Religion. Bei Menschen, die nie von dem berühmten Ausspruch des Propheten über die fünf Säulen gehört haben, fällt es den Djihadisten nicht schwer, einen sechsten Pfeiler hinzuzuzaubern und diesen, den Djihad-Pfeiler, sogar zur wichtigsten Glaubensgrundlage zu stilisieren. Die Frustration durch Arbeitslosigkeit und die Hoffnungslosigkeit der Millionen von Nordafrikanern vor Europas verschlossenen Toren tun dann das Übrige.

Der ideologische Lehrer von Osama bin Laden: Schaikh Dr. 'Abdullah 'Azzam

Doch noch weitere Personen spielen in der neuen Auslegung des Begriffs vom Djihad eine wesentliche Rolle. So verkörperte zum Beispiel Schaikh Dr. 'Abdullah 'Azzam den Djihadismus als eine neue Schule unter den Islamisten. 'Azzam, der ursprünglich zu den Begründern der palästinensischen Islamistenbewegung HAMAS gehörte, wollte in Afghanistan eine Ausgangsbasis für den Djihad in anderen Ländern schaffen. Nach der Invasion sowjetischer Truppen in Afghanistan im Dezember 1979 zog er um die Welt, um junge Männer für den Djihad in Afghanistan zu rekrutieren. Das geschah keineswegs im Auftrag des CIA, wie immer wieder behauptet wird, sondern aus freien Stücken. Wichtigste Stütze war ihm dabei in den letzten Jahren seines Lebens ein junger Millionär aus Saudi-Arabien, der zu 'Azzams Jünger wurde, Osama bin Laden. Die beiden zogen ein äußerst erfolgreiches Unternehmen auf. 'Azzam steuerte das Fachwissen, die Ideologie bei, bin Laden das Geld. Der Erfolg des Agitators 'Azzam beruht dabei ganz wesentlich auf der Unterstützung durch bin Laden, der ihn von finanziellen Sorgen befreite und ihm ermöglichte, den Djihad gegen die Großmächte auf der ganzen Welt zu propagieren – selbst in Oklahoma.

Als Schaikh Dr. 'Abdullah 'Azzam 1989 bei einem Attentat auf ihn in der pakistanischen Grenzstadt Peschawar ums Leben kam, schien einer seiner sehnlichsten Wünsche in Erfüllung zu gehen. Diese Behauptung ist keineswegs makaber: Wie kein Zweiter schwärmte 'Abdullah 'Azzam Zeit seines Lebens vom Martyrium. Unter anderem verfasste er eine Art Enzyklopädie der Araber, die in Afghanistan den Märtyrertod fanden. Der Titel lautet »Die Liebhaber der Paradiesjungfrauen« (*'Ushshaqu l-Hur*). Es ist auch keine Übertreibung, 'Azzam als djihad-süchtig zu bezeichnen, denn in einer kurz vor seinem Tode gehaltenen Predigt behauptete er, ohne Djihad nicht mehr leben zu können, ohne Djihad sei er wie ein Fisch im Sande.

Bin Laden fehlte zunächst der wirkliche islamistische Werdegang. Er gehörte keiner islamistischen Partei an, sondern war nur durch entsprechende Lektüre zu den Islamisten gestoßen. Doch 'Azzam wurde sein Lehrer, der ihn in der neuen Ideologie des Djihadismus unterwies und islamistisch legitimierte. Politisch fasste bin Laden seine Ziele allerdings schnell weiter als sein Lehrer. Sein Vorhaben: die Eroberung der ganzen Welt.

Im Fadenkreuz: die USA

Auch wenn politische Beobachter immer wieder darauf hinweisen, dass 'Azzam und bin Laden im Afghanistan-Krieg gleichsam im Schulterschluss mit den USA gegen die ehemalige UdSSR gekämpft haben – auf Seiten der USA haben die beiden Extremisten niemals wirklich gestanden. Nach dem Untergang des Sowjetimperiums richtete sich ihre Stoßkraft umgehend gegen die Amerikaner, die sie unter anderem für die Missetaten Israels verantwortlich machen.

Der Djihad der Islamisten gegen die USA ist längst keine Neuheit mehr, sondern hat Geschichte. Was sich am 11. September 2001 in New York und Washington abspielte, war eine vorhersehbare Intensivierung bisheriger Taten. 1995 versuchten sich die Islamisten erstmals an einem Doppelanschlag, der ihre »interkontinentale« Reichweite demonstrieren sollte. So ganz klappte jener erste Versuch allerdings nicht. In der pakistanischen Hauptstadt Islamabad sprengten sie die ägyptische Botschaft. Gleichzeitig sollte in Kairo das berühmte Touristenviertel Khan El Khalili in die Luft gehen – doch hier kamen die Attentäter zu spät.

Nach dem Muster jenes Planes erfolgten dann im August 1998 die Anschläge auf die US-Botschaften in Dar-es-salam und Nairobi. Die zeitliche Koordinierung der Terroraktion klappte, ob allerdings die Ergebnisse als terroristische Erfolge zu verbuchen sind, bleibt fraglich. Die Anschläge sollten Amerikaner treffen. Zu Tode kamen neben sechs US-Bürgern aber auch Hunderte von Afrikanern.

Dass dieser ideologische Werdegang zu verheerenden Massakern führen würde, wie sie die USA im September

2001 trafen, ist mehrfach vorhergesagt worden. Großes Expertenwissen erforderten diese Warnungen nicht, haben doch bin Laden und seine Mitstreiter ihre Vorhaben häufig genug verkündet und an ihren Fähigkeiten, solche Aktionen durchzuführen, keinen Zweifel gelassen.

Die von kritischen Stimmen vorgetragene Sorge um eine Vorverurteilung bin Ladens ist angesichts der Spuren und Indizien, die im Rahmen der Aufklärung der September-Anschläge immer wieder zu seiner Person führen, meiner Meinung nach hinfällig. Die Amerikaner neigen – anders als in Europa häufig angenommen – durchaus nicht zu Vorverurteilungen. Bei den früheren Anschlägen jedenfalls haben sie sich diesbezüglich sehr vorsichtig verhalten. Hinsichtlich des ersten Anschlags auf das World Trade Center 1993 hatte man sehr schnell eine Fülle belastenden Materials gesammelt, hielt sich mit Bekanntgaben jedoch weitgehend zurück.

Ausschlaggebend für dieses Verhalten ist sicher auch die Furcht vor Feindseligkeiten gegen die rund fünf Millionen Muslime, die in den USA leben und auch gegen die etwa drei Millionen Amerikaner christlich-arabischer Herkunft. Man fürchtet zu Recht, dass es zu Ausschreitungen gegen diese Bevölkerungsgruppen kommen könnte, was sich äußerst nachteilig auf die Beziehungen zu verbündeten arabischen und muslimischen Staaten wie Ägypten und Saudi-Arabien auswirken könnte.

Schon allein zum Schutz großer unschuldiger Teile der Weltbevölkerung ist es umso wichtiger, die Attentate konsequent aufzuklären und die Schuldigen zu verurteilen. Einem zaghaften Umgehen mit dem Terrorismus sind natürliche Grenzen gesetzt und diese wurden im September 2001 endgültig überschritten.

Wer ist Osama bin Laden?

Herkunft und Jugend

Osama ist das 17. von 57 Kindern des Muhammad bin Laden. Die Angaben zu seinem Geburtsjahr variieren. Manche Quellen geben 1955 an, andere vertreten die Ansicht, er sei erst 1957 geboren worden. Der Vater, der ursprünglich aus Südarabien (Jemen) stammt, war einer der größten Bauunternehmer Saudi-Arabiens. Zu den Riesenprojekten, die den Bauherrn zum Millionär machten, gehört auch die Erweiterung des Moscheekomplexes von Mekka, das Zentralheiligtum des Islam. Wie einige seiner Brüder begann Osama schon in sehr jungen Jahren, im Unternehmen seines Vaters zu arbeiten. Der fleißige und intelligente Jugendliche schien ein Leben als Bauunternehmer und Geschäftsmann vor sich zu haben.

Wie bei vielen anderen Arabern wird der Name auf unterschiedliche Weise wiedergegeben. Im Arabischen gibt es zwar nur eine einzige Schreibweise, doch die Umschreibung in lateinischen Buchstaben kennt Varianten wie Ben Laden, Bin Ladin, bin Ladin, bin Laden, BinLaden. Sein Vorname, Usama, wird von Amerikanern leicht als Yusama ausgesprochen, deshalb schreiben Araber oft Osama.

Wie in traditionellen arabischen Familien üblich, heiratete Osama bin Laden sehr früh. Sein ältester Sohn heißt Muhammad, daher wird Osama unter Freunden AbuMuhammad (Vater Muhammads) genannt. Nach arabischem Brauch heißt er mit vollem Namen AbuMuhammad Usama binMuhammad BinLadin.

Osama wuchs in einer der steinreichen Familien von Saudi-Arabien auf, ohne dass es über seinen Werdegang etwas Besonderes zu berichten gäbe. Mehrere seiner Brüder gingen zum Studium oder zur Ausübung ihrer Geschäfte zeitweilig in die USA, Osama scheint dagegen nie akademische Ambitionen besessen zu haben. Einer seiner Brüder, Tariq bin Laden, ist in den USA Direktor einer islamistischen Hilfsorganisation. Zu Vereinen wie den »Muslim-Brüdern« hatte Osama als Jugendlicher kaum Beziehungen. Doch Ende der siebziger Jahre begann er, islamistische Schriften zu lesen und war schnell hingerissen.

Osama bin Ladens Hinwendung zum Islamismus

Zeitgleich formierte sich in Afghanistan der Widerstand gegen die 1979 erfolgte sowjetische Besatzung. Das Nachbarland Pakistan verfolgte damals die Politik, nur islamistische Verbände von seinem Territorium aus gegen die Sowjets operieren zu lassen, nicht etwa die afghanischen Nationalisten. Der übrigen Welt stellte sich deshalb die Auseinandersetzung in Afghanistan als ein Krieg zwischen Kommunisten und Islamisten dar. Auf arabische Islamisten wirkte das anziehend. Viele waren der Meinung, wenn es gelänge, das Land von den sowjetischen Invasoren zu befreien, dann ließe sich in Afghanistan der erste »ideologische Staat« des Islamismus errichten. Alle anderen muslimischen Staaten galten ihnen ja als nicht richtig islamisch. Seit Jahrzehnten schon war es ein Traum der Islamisten gewesen, irgendwo in der Welt einen echten islamistischen Staat zu errichten, der als Ausgangsbasis für ein die Welt umspannendes Kalifat dienen könnte.

So zogen einige arabische Djihad-Begeisterte nach Pakistan, um sich von dort aus den afghanischen Mudjahidin anzuschließen. Aus einem Dutzend wurden im Laufe der zehn Kriegsjahre Tausende. Der große Ansturm setzte jedoch erst 1988 ein, als die Russen bereits Vorkehrungen zum Abzug trafen. Anfang der neunziger Jahre des 20. Jahrhunderts gab es in Pakistan eine ganze Kolonie von »arabischen Afghanen«, die meisten mit Frau und Kindern. Zeitweilig umfasste diese Arabergemeinde rund 30.000 Personen.

Osama bin Laden stellte sich bereits 1980 in Pakistan ein, also zu einem relativ frühen Zeitpunkt. Allerdings begab er sich nicht an die »Front«, sondern besuchte nur Lahore, die Großstadt im Nordosten Pakistans. Bei seinen häufigen Aufenthalten dort lernte er den bereits erwähnten ’Abdullah ’Azzam kennen, einen palästinensischen Islamisten, der zu jener Zeit an der Internationalen Islamischen Universität in Pakistans Hauptstadt Islamabad unterrichtete. Die beiden wurden enge Freunde. Richtig in den afghanischen Djihad mitgenommen wurde Osama bin Laden erst durch ’Abdullah ’Azzam. Die Aufstellung einer Art von »arabischer Afghanistan-Brigade« ist hauptsächlich bin Laden und ’Azzam zuzuschreiben.

Die Rolle Pakistans

Um die Zusammenhänge recht zu verstehen, muss man sich ins Gedächtnis rufen, dass Pakistan von 1977-1988 von General Zia ul-Haq regiert wurde, einem islamistischen Militärdiktator. Zia, wie er kurz genannt wurde, wollte sich die Chance nicht entgehen lassen, in Afghanistan ein Pakistan-freundliches Regime an die Macht zu bringen, um in der Konsequenz einen Einheitsstaat aus Afghanistan und Pakistan zu errichten. Bemerkenswerterweise zweifelte er nie daran, dass es gelingen werde, die Russen aus Afghanistan zu verjagen.

Zia wurde nicht nur von den Russen, sondern auch von den Amerikanern unterschätzt. Diese hielten den pakistanischen Einsatz in Afghanistan für islamischen Glaubenseifer und begriffen nicht, welche nationalistische Großmachtspolitik Islamabad damit verband. Die Saudis gaben den Pakistanern Geld für den Krieg, die Amerikaner gaben ihnen die nötigen Waffen. Der stark präsente CIA war jedoch kaum direkt im Einsatz, stattdessen wurde alles über den ISI abgewickelt, sozusagen das pakistanische Pendant zum CIA. Der CIA lieferte die Waffen auch nicht an die Mudjahidin, sondern an den ISI, und die Pakistaner entschieden, an welche Afghanen sie diese weitergaben. Für den CIA war das bequem, vor allem schien auch alles sehr gut zu laufen. Immerhin entwickelte sich Afghanistan über die Jahre zu einem ebenso schlimmen militärischen Desaster für die Sowjetunion, wie es Vietnam für die Amerikaner gewesen war.

Mit der Rekrutierung von Arabern und anderen Nicht-Afghanen hatte der CIA selbst nichts zu tun. Er konnte hier auch gar keinen Einfluss nehmen, da die Pakistaner dies nicht zuließen. Der ISI behielt sich die Kriegsführung vor. Während des Afghanistankrieges entstand der Eindruck, als sei das Regime General Zias pro-amerikanisch. Das war jedoch ganz und gar nicht der Fall. Allenfalls könnte man von einer Zweckehe auf Zeit sprechen.

Doch ein weit verbreiteter Mythos erzählt die Geschichte anders. Angeblich bestimmte damals der CIA die Geschicke in der Region. Die »arabischen Afghanen« wie Osama bin Laden seien von den Amerikanern aufgebaut worden. Erst später sei es dann zum Bruch gekommen. Sogar Ägyptens Präsident Mubarak vertrat diese Interpretation der Geschichte noch in einem Interview am 14. 9. 2001. Diese Version enthält jedoch kaum ein Körnchen Wahrheit. Der wesentliche Grund für diese Fehlinterpretation liegt in der Unterschätzung der Pakistaner.

Die Haltung der Islamisten zu Amerika

Pro-amerikanisch verhielt sich und dachte keiner der maßgebenden Islamisten. Zia und sein Team waren grundlegend anti-amerikanisch, sind doch die USA der Inbegriff all dessen, wogegen sich der Islamismus richtet. Nun sah sich Pakistan aber erst einmal in eine Auseinandersetzung mit der Sowjetunion verwickelt und musste sich ganz auf diese unmittelbare Gefahr konzentrieren. Durch den Einmarsch der Roten Armee in Afghanistan war Pakistan immerhin zu einem Frontstaat geworden.

Pakistans Afghanistanpolitik wurde von Anfang an von General Hamid Gul betrieben, einem eingefleischten Islamisten. Er gilt heute noch als wichtigster Berater des Taliban-Chefs Mullah Omar, der in Kandahar residiert. In Pakistan leitete Hamid Gul mehrmals anti-amerikanische Demonstrationen und rief zum Schutz bin Ladens auf. Begleitet wurde er dabei von General Mirza Aslam Beg, einem ehemaligen pakistanischen Armeeoberbefehlshaber.

'Abdullah 'Azzam, der die ideologische Unterweisung bin Ladens vornahm, gehört zu den Begründern der palästinensischen Islamistenbewegung HAMAS. Von einer pro-amerikanischen Einstellung war bei ihm nie die Rede. Gewiss freuten sich 'Azzam und bin Laden über die amerikanischen Stinger-Raketen, doch ließen sie sich dadurch nicht kaufen. Sie hielten selbst zu jener Zeit, als die USA sie mit Waffen im Krieg gegen die Sowjetunion unterstützte, anti-amerikanische Hetzreden. Die Waffen erhielten sie auch nicht direkt vom CIA oder vom ISI, sondern von Freunden in der Partei des Islamistenchefs Hekmatyar. 'Azzam verteufelte die USA sogar auf amerikanischem Boden, wenn er sich dort aufhielt, um bei islamistischen Parteigenossen Gelder für den Djihad einzutreiben.

Mit anderen Worten, bin Laden befand sich seit seiner Bekehrung zum Islamismus Ende der siebziger Jahre unentwegt auf anti-amerikanischem Kurs.

Führungsqualitäten einer charismatischen Persönlichkeit

Ein entscheidender Faktor bei der Bildung der Djihadisten-Einheitsfront und ihrer Globalisierung war die Existenz eines funktionierenden Führungsteams. Es bestand aus Osama bin Laden, Aiman Az-Zawahiri, dem Führer der ägyptischen Gihad, und zwei Dutzend begabter Anführer, die unabhängig voneinander zu operieren vermochten. Dass der Kampf gegen den Terrorismus sich nicht einseitig auf bin Laden konzentrieren solle, ist ja inzwischen ein oft gehörtes Argument. Dahinter steht die Meinung, Ersatz für den saudi-arabischen Rebellen würde im Handumdrehen nachwachsen. Das ist zwar einerseits stichhaltig, andererseits sollten aber die herausragenden Stärken bin Ladens nicht verniedlicht werden.

Bin Laden ist eine Führungspersönlichkeit mit außergewöhnlicher Ausstrahlung und einer besonderen Fähigkeit, Gefolgschaft anzuziehen.

Sein Reichtum

Das Vermögen Osama bin Ladens wird auf 270 Millionen US-Dollar und höher geschätzt. In den verarmten Ländern der Dritten Welt fällt es ihm leicht, Gefolgsleute zu rekrutieren, zumal er sich auch sehr fürsorglich gibt. Der ägyptische Innenminister, General Habib Al-'Adli, behauptet, bin Laden sei der wichtigste Financier für die Djihadisten am Nil.[1] Aus anderen Staaten wird Ähnliches berichtet.

Seine Millionen erlauben es bin Laden, seine Mitarbeiter mit falschen Dokumenten zu versehen und in manchen Ländern die Behörden zu bestechen. Außerdem ermöglicht ihm sein Reichtum, sich und sein operatives Netz mit den neuesten technischen Instrumenten auszurüsten, insbesondere mit den modernen Kommunikationsmitteln.

Der größte Teil seiner Einnahmen stammt aus dem Waren- und Rauschgiftschmuggel und aus dem Netzwerk der Islamisten. Bislang sind in den Arabischen Golfstaaten noch kaum Konten von bin Laden oder den Taliban eingefroren worden.

Sein Mut, seine exemplarische Hingabe und Selbstaufopferung

Bin Laden gehört zu der zahlenmäßig eher kleinen Gruppe der »arabischen Afghanen«, die tatsächlich in Afghanistan gekämpft haben, und zwar nicht nur symbolisch. Dabei brauchte bin Laden wie schon erwähnt eine ungewöhnlich lange Anlaufzeit, um sich persönlich zu engagieren. 1980 flog er erstmals nach Pakistan, um sich für den afghanischen Widerstand einzusetzen. Doch tat er das damals nur mit finanziellen Mitteln und weit ab vom Kampfgeschehen. Statt nach Peschawar, der Stadt an der afghanischen Grenze, flog er nach Lahore, nahe der indischen Grenze. Dort meldete er sich im Hauptquartier von Pakistans Islamistenpartei, der Jama'at-e Islami (indische Urdu-Version der ägyptischen Gama'a Islamiya) und überreichte eine Spende für den afghanischen Widerstand. Die Partei, in Pakistan kurz als Jama'at bekannt, wurde von den Islamisten in aller Welt als Drahtzieher im Djihad um Afghanistan betrachtet. Da sie – obwohl nur eine kleine Kaderpartei – den pakistanischen Geheimdienst ISI und weitgehend auch die Generalität beherrscht, entsprach dies der Wahrheit. Auf jeden Fall spielte sie während des Afghanistankrieges eine entscheidende Rolle bei der Formulierung von Islamabads Politik. Heute ist sie noch mächtiger. Sie besetzt Schlüsselpositionen in Regierung und Verwaltung, so dass es General Musharaf unmöglich ist, einen unabhängigen Kurs von den Islamisten zu beschreiten.

Nach pakistanischer Vorstellung muss ein Gast im eigenen Land einen Gastgeber haben, entweder die pakistanische Regierung, eine Firma oder eine Organisation. Bin Laden kam als Gast der Jama'at, und gewissermaßen ist er das geblieben. Im engeren Sinn ist bin Laden heute Gast des afghanischen »Kalifen« Mullah Omar, im weiteren Sinn ist er nach wie vor Gast des Qazi Husain Ahmad, des Chefs der pakistanischen Jama'at-e Islami. Das ist ein ganz wichtiger Aspekt, den die Entscheidungsträger in Washington nie verstehen konnten oder wollten.

Auf jeden Fall sprach bin Laden von 1980-1984 etliche Male bei Qazi in Lahore vor und entrichtete seinen Obulus. Mit dem Gedanken einer direkten Teilnahme am Djihad konnte er sich seinerzeit nicht vertraut machen, ein Umstand, den er später beklagte. Einerseits empfand er, wie er sagt, eine natürliche Hemmung, andererseits wurde ihm aus Sicherheitsgründen immer nur davon abgeraten. Wahrscheinlich profitierten zu viele von seiner Freizügigkeit und wollten das »goldene Huhn« nicht gefährden.

Erst 'Abdullah 'Azzam, »Vater der afghanischen Araber«, schlug alle Bedenken in den Wind und nahm Osama bin Laden mit nach Peschawar und von dort aus über die Grenze nach Afghanistan. Hier entwickelte bin Laden sich erstaunlich schnell zu einem unerschrockenen Kämpfer und Befehlshaber. Da die arabischen Freiwilligen in der Regel nicht wirklich kriegstüchtig waren, bestand die Notwendigkeit von gesonderten »Lehrgängen«. Tatsächlich hatten sie die afghanischen Mudjahidin häufig mehr behindert als unterstützt. Bin Laden richtete deshalb ein separates Araberlager ein und nannte es Masadda, was so viel wie »Löwenhöhle« oder »Löwenburg« bedeutet.

Seine Intelligenz und sein Einfallsreichtum

Wie die meisten der »arabischen Afghanen« ist auch der saudische Djihadistenführer ein messianischer Eiferer.

Andererseits verhält er sich aber auch selbstbeherrscht, umsichtig und sehr praxisbezogen. Er ähnelt also keineswegs einem der vielen Phantasten, die nach Afghanistan zogen, um das Fürchten zu lernen.

Bin Laden ist praktisch veranlagt. Äußerst erfolgreich beim Betrieb seiner Baufirmen wandte er seine Erfahrung geschickt auf den Krieg in Afghanistan an. Mittels einer Flotte von Bulldozern schuf er unterirdische Festungsanlagen, welche die Sowjets nie gänzlich zu zerstören vermochten. Bezeichnenderweise war es der damalige saudische Botschafter in Pakistan, der die Einfuhr der umfangreichen und aufwendigen Maschinerie aus Saudi-Arabien nach Pakistan ermöglichte.

Seine Führungsqualitäten

Mit großem Geschick besetzte Osama bin Laden in all den Jahren die Schlüsselpositionen seines Netzwerks. Im Verlauf von fast 20 Jahren Kampftätigkeit ist er keiner Verschwörung zum Opfer gefallen. Er hat eine besondere Begabung, Menschen an sich zu ziehen, seine Gefährten nicht vor den Kopf zu stoßen sowie sie zur Koordinierung ihrer Aktivitäten zu veranlassen. Besonders notwendig waren diese Fähigkeiten bei der Zusammenführung der beiden miteinander rivalisierenden ägyptischen Terroristenorganisationen Gama'a und Gihad. Ganz gelang das zwar selbst bin Laden nicht, doch immerhin erzielte er auch hierbei gewisse Fortschritte (s. S. 47).

Im März 2000 bezeichneten einige Djihadisten in Ägypten ihre Assoziierung mit bin Laden als großen Fehler. Auf diese Weise veranlassten sie Zawahiri, die Führung von Gihad niederzulegen. Doch das blieb auch die einzige Konsequenz. Bin Laden tat das keinen Abbruch, seine

Handlungsfähigkeit wurde nicht eingeschränkt, vielmehr nahm die Zahl seiner Getreuen noch zu.

Seine Herkunft aus Arabien

Die Abstammung aus Saudi-Arabien verschafft Osama bin Laden einen psychologischen Vorteil. Djihadisten verabscheuen zwar die saudische Monarchie und halten viele Saudi-Arabier für verachtenswerte Abtrünnige. Ist aber andererseits jemand aus dem tiefsten Arabien einmal als Führer anerkannt, dann verleiht ihm diese Herkunft eine so besondere Bedeutung, dass sich nur schwer jemand mit ihm messen kann. Das Haus Saud macht seit jeher von dieser Faszination Gebrauch und nun richtet bin Laden diese Waffe gegen die Prinzen.

Er ist ein Geschäftsmann ohne nennenswerte religiöse Unterweisung, benimmt sich aber wie ein Religionsgelehrter. Käme er nicht aus Arabien, würde man ihm das kaum abnehmen. Gerade in Afghanistan und Pakistan sowie unter anderen nicht-arabischen Muslimen erweist sich dieser Faktor als besonders wirksam.

Seine »Islamizität«

Im Laufe der Jahre hat sich bin Laden ein bemerkenswertes religiöses Rüstzeug angeeignet. Wer heute seinen Predigten zuhört, könnte meinen, einen Religionsgelehrten vor sich zu haben, der sein ganzes Leben in der Moschee verbracht hat. Dass er mit einer neuartigen und verschrobenen Theologie aufwartet, steht auf einem anderen Blatt. Entscheidend dürfte sein, dass er keineswegs wie ein Neuling oder Stümper auftritt, was bei anderen Islamisten nicht selten der Fall ist. Bin Laden überzeugt zu-

mindest technisch, das heißt, er versteht zu predigen wie
ein geschulter Mullah oder »Geistlicher«.

Sein Internationalismus

Osama bin Laden hat in mehreren Ländern gelebt. Eine
seiner Frauen kommt von den Philippinen. Das mag der
Grund gewesen sein, weshalb 1996 der militärische Geheimdienst der Philippinen in einem streng vertraulichen
Bericht an die Amerikaner behauptete, die Oklahoma-At-
tentäter hätten Verbindungen zur AbuSayyaf, einer islamistischen Terroristengruppe auf den Philippinen. Das
hätte bin Laden auch in Zusammenhang mit dem Okla-
homa-Anschlag gebracht. Die amerikanischen Behörden
ließen jedoch kein Wort davon verlauten.

  Im Unterschied zu anderen islamistischen Führern ist bin
Laden nicht einseitig auf die »Befreiung« eines bestimmten
Landes festgelegt. Gewiss geht es ihm primär um die »Säu-
berung« der arabischen Halbinsel von den Amerikanern,
doch hat er es mit seiner »Globalen Kampffront« geschafft,
dass sich bei ihm alle aufgehoben fühlen, nicht nur die Auf-
ständischen eines bestimmten Landes. 1989 war Gama'a-
Chef Omar Abder Rahman darüber mit den meisten anderen Djihadisten in Streit geraten. Der blinde Prediger
forderte volle Konzentration auf den Sturz von Präsident
Mubarak. Er wollte die Gama'a-Trupps in Pakistan nur
ausbilden lassen, sie aber nicht in den Kampf nach Afghanistan schicken, wo sie Gefahr liefen, ihr Leben zu lassen.
Sie sollten für den Kampf in Ägypten erhalten bleiben.

  Die Frage nach der Regionaliät bzw. Internationalität
des Djihad führte zu mehreren Spaltungen unter den
»arabischen Afghanen«; Omar Abder Rahmans Fokus-
sierung auf Ägypten war nur eine davon. Bin Ladens

Mentor, 'Abdullah 'Azzam, musste sich Zeit seines Lebens gegen den Vorwurf zur Wehr setzen, mit dem Afghanistan-Einsatz lenke er von Palästina ab, das doch schließlich das »zentrale Anliegen des Islam« darstelle. 'Azzam wollte ernsthaft für Afghanistan kämpfen, um hier die Basis für den späteren Kampf gegen Israel zu schaffen. Bin Laden fasste seine Ziele wesentlich weiter, er wollte es überall zur gleichen Zeit versuchen. Es entbehrt nicht einer gewissen Ironie, dass bin Laden heute so gänzlich mit Afghanistan assoziiert wird. Früher wurde 'Azzams Konzentration auf Afghanistan von seinen Mitstreitern als hemmend empfunden. Kurz vor dem Tod 'Azzams im November 1989 trennte sich bin Laden von seinem selbst erkorenen Lehrer. Sie blieben Freunde, doch ging jeder seinen eigenen Weg. Bin Laden stand nun stärker unter dem Einfluss Zawahiris, des ägyptischen Befürworters eines islamistischen Internationalismus.

Sein Pragmatismus

Zu Beginn des Afghanistan-Abenteuers schloss sich bin Laden dem radikalen Islamistenchef Hekmatyar an, den Pakistans Geheimdienste als ihre Marionette in Kabul einsetzen wollten. Hekmatyar entpuppte sich jedoch als Versager, weshalb die Pakistaner dann 1994 auf ein neues Pferd setzten, die Taliban (»Seminaristen«). Diese Truppe, die aus den afghanischen Flüchtlingslagern in Pakistan rekrutiert wurde, hatte zunächst finanzielle Unterstützung in Saudi-Arbien gefunden, das mit ihr ein Gegengewicht zu Hekmatyar aufbauen wollte. Die Taliban schafften es auch, Hekmatyar zu vertreiben, der im Iran Unterschlupf fand und sich 1991 auf die Seite Saddam Hussains stellte.

Die Kerntruppe der Taliban besteht aus afghanischen Waisenknaben, die von der Welt einzig und allein das kennen, was ihnen in pakistanischen Flüchtlingslagern eingebleut wurde.[2] Bin Laden verstand sehr schnell, dass Taliban und Islamisten zusammengeführt werden können, was sich auch rasch bewahrheitete. Für ihn waren die Taliban genau das richtige Menschenmaterial, um seine Pläne in die Tat umzusetzen. Er erfasste instinktiv, welche Anziehungskraft von den Taliban ausgehen würde. So verhasst sie sich beim eigenen Volk schnell gemacht haben, in Pakistan rissen Tausende von Jugendlichen von Zuhause aus und zogen nach Afghanistan ins große Djihad-Abenteuer.

Angesichts der engen Beziehungen zwischen Hekmatyar und den »arabischen Afghanen« über einen Zeitraum von wenigstens 15 Jahren hätte man von bin Laden eigentlich Treue zu seinem Weggefährten und Feindschaft gegenüber den neuen Herrschern, den Taliban, erwarten dürfen. Auch die Unterstützung der Taliban durch Saudi-Arabien legt dies eigentlich nahe. Bin Laden nun im Lager der Taliban zu finden, die ihr Leben für diesen Glaubensbruder riskieren, ist erstaunlich. Doch auch das beweist den ausgeprägten Pragmatismus dieses Mannes: Bin Laden stellte sich ganz einfach auf die Seite der Sieger und verhalf ihnen und damit sich selbst zu weiteren Siegen.

Die Ideologie des Osama bin Laden: Globalisierung des »Heiligen Terrors«

Im 20. Jahrhundert wurde unter dem Einfluss totalitärer Ideologien Europas der Islamismus geboren. Es kann gar nicht genug betont werden, dass diese neue Ideologie des Islamismus mit der alten Religion des Islam nicht identisch ist, auch wenn sie geographisch aus ihr hervorging. In der übrigen Welt brauchte man einige Jahrzehnte, um sich an die Unterscheidung zu gewöhnen. Anfangs wurde das neue Phänomen weithin als »islamischer Fundamentalismus« bezeichnet. Die radikalen Fundamentalisten nennen sich jedoch lieber Islamisten. Kaum hatte sich diese Bezeichnung einigermaßen durchgesetzt, da ergab sich eine neue Unterscheidung, aus den Islamisten gingen nämlich die Djihadisten hervor. Der Name leitet sich von Djihad ab. Nach Meinung der meisten Muslime bedeutet Djihad in erster Linie Selbstläuterung und in zweiter Linie einen Krieg zur Verteidigung der Religionsfreiheit. In den siebziger und achtziger Jahren wuchs eine neue Generation von Islamisten heran, die den Djihad als Heiligen Krieg verstehen, zur Verbreitung des Glaubens und zur Unterwerfung der Ungläubigen. Für diese neue Generation, gemeinhin Djihadisten genannt, besteht die Selbstbezwingung in der Selbstaufgabe, und zwar in Form des Märtyrertodes, vorzugsweise als Kamikaze-Aktion für die Sache.

Gemäß der traditionellen Terminologie nennt ein Bekenner des Islam sich Muslim. Zieht er in den Krieg zur Verteidigung des Glaubens, also in den Djihad, dann wird er zum Mudjahid. Statt der Muslime haben wir nun Islamisten, und statt der Mudjahidin haben wir Djihadisten. Der Ausdruck hat sich mit Windeseile durchgesetzt, nicht nur in der arabischen Presse, sondern auch in Pakistan.

Djihadismus bedeutet Kampf zwecks Errichtung islamistischer Weltherrschaft sowie Bekämpfung der Mächte, die diesem Herrschaftsanspruch im Wege stehen. In einer seiner US-Reden drückte Omar Abder Rahman das kurz und bündig aus: »Wir sind hier, um den Islam zu verbreiten. Stellt sich uns jemand in den Weg, gibt es Djihad.«

Djihadismus umfasst den allgemeinen Anti-Amerikanismus bzw. die Ablehnung des »Westens« und der weltweit dominierenden westlichen Denk- und Lebensweise. Bei Osama bin Laden wurde die Verwandlung von generellem Ressentiment in gezielte Feindschaft durch die Stationierung amerikanischer bzw. nicht-muslimischer Truppen auf der arabischen Halbinsel ausgelöst. Seinen Protest dagegen macht er zur Grundlage einer Art Theologie. Warnend muss allerdings hinzugefügt werden, dass sich sein Djihadismus auch ohne diesen Sonderfaktor vorstellen lässt. Aller Wahrscheinlichkeit nach wäre bin Laden auch ohne die Anwesenheit von US-Truppen in Arabien kaum weniger anti-westlich eingestellt. Schließlich ist seine Denkweise nur eine Fortsetzung der Haltung zahlreicher Islamisten vor ihm. So gab zum Beispiel der ägyptische Ideologe Sayyid Qutb, der sich von 1949-1951 in den USA aufhielt und danach Amerika in Grund und Boden verdammte, in einer seiner Schriften zu, dass er bereits vorher schon anti-amerikanisch dachte und das Angebot eines USA-Aufenthalts nur angenommen habe, um danach seine Meinung besser legitimieren zu können.

Zudem setzen manche Mitstreiter bin Ladens ganz andere Schwerpunkte als die amerikanische Truppenstationierung in Arabien. Den einen geht es vorrangig darum, die Russen aus dem Kaukasus zu verjagen. Die anderen wollen primär Kaschmir von den Indern befreien. Zahlreich sind jene, die die wichtigste Aufgabe aller Islamisten darin sehen, den islamistischen »Musterstaat« im Sudan zu erhalten, wieder andere erhoffen sich die Verwirklichung ihrer Utopie in Tadschikistan. Und die Palästinenser wollen natürlich alle Aufmerksamkeit auf Jerusalem gerichtet sehen. Bin Laden ist mit all dem einverstanden und bietet Unterstützung an, wo er nur kann. Er selbst hat seinen Blick aber auf Arabien fixiert, von dem er behauptet, es sei das Gott wohlgefälligste Land auf Erden. Angeblich soll der Prophet das verkündet haben.

Bemerkenswerterweise behaupten die palästinensischen Islamisten dasselbe von Palästina. Sie haben sich die biblische Begriffswelt zu eigen gemacht bzw. sie islamisiert. So sprechen sie von Palästina als dem Heiligen Land, natürlich nicht dem Heiligen Land der Juden, sondern dem Heiligen Land der Muslime. Für sie ist die Aqsa-Moschee in Jerusalem der heiligste Fleck auf Erden. Man könnte den Eindruck gewinnen, Mekka hätte keine andere Funktion denn als Ausgangspunkt für die Nachtreise des Propheten zu dienen, die ihn von Mekka nach Jerusalem und von dort in die sieben Himmel führte. Die eigentliche Himmelfahrt des Proheten nahm nach Meinung der palästinensischen Islamisten ihren Ausgang in jedem Fall von der Aqsa-Moschee.

Für bin Laden scheint des Propheten Ausflug von Mekka nach Jerusalem nur Beiwerk zu sein. So wie die Palästinenser einen Aqsa-Kult treiben, so treibt der Saudi einen Kaaba-Kult, wobei er meist den Ausdruck »das uralte Haus« verwendet, was man frei als »altehrwürdiger Tempel« bezeichnen könnte. Nach islamischer Vorstellung ist die Kaaba in Mekka in der Menschheitsgeschichte die erste Stätte des Monotheismus.

Bevor er auf die Amerikaner zu sprechen kommt, ergeht bin Laden sich gern in einem ausgedehnten historischen Diskurs über einen Versuch der Äthiopier im 6. Jahrhundert, sich Mekkas zu bemächtigen. Die Äthiopier, damals Abyssinier genannt, waren zu jener Zeit eine von drei Großmächten und herrschten über Teile Südarabiens. Die Mekkaner hatten sich vom Monotheismus Abrahams abgewandt und waren zu Götzendienern geworden. Als jedoch die Abyssinier im Anmarsch waren, rüsteten die Mekkaner zur Verteidigung der Kaaba. Jenes uralte Heiligtum hatte einst Abraham in ihrer Stadt neu aufgebaut. Angesichts des daraufhin entstandenen arabischen Widerstands mussten die Äthiopier sich unverrichteter Dinge zurückziehen.

Bezeichnenderweise spricht bin Laden nicht von Abyssiniern oder Äthiopiern, wie in der islamischen Terminologie gebräuchlich, sondern er spricht von 60.000 Christen, die damals gen Mekka zogen. Das ist eine ungewöhnliche Ausdrucksweise. Zu jener Zeit waren die Mekkaner ja noch nicht Muslime, deshalb wurde der Konflikt nie im Lichte einer Auseinandersetzung mit dem Christentum gesehen. Bin Laden tut das aber, um eine Parallele zur Anwesenheit amerikanischer Truppen auf arabischem Boden herzustellen. Nur darauf zielt sein historischer Vergleich ab.

In seiner Predigt anlässlich des zehnten Jahrestags der amerikanischen »Besudelung« der Heiligen Arabischen Erde stellt bin Laden fest, dass Arabien 1.400 Jahre lang unbefleckt geblieben sei.

»Dann aber wollte der Allmächtige uns auf die Probe stellen und unsere Glaubenskraft prüfen. 1.400 Jahre lang gab es keinen Verräter, bis sich in diesen Tagen ein Nachfolger für jenen Verräter im 6. Jahrhundert fand (auf den saudischen König Fahd gemünzt, d. Autoren). Der Schamlose hatte seinen Spaß mit den Mädchen der Juden und Kreuzritter, im Lande unseres Propheten, wo der Erzengel Gabriel ihm Gottes Offenbarung überbrachte. Seit dem Vorrücken der amerikanischen Soldaten auf die Arabische Halbinsel sind zehn Jahre vergangen. Dabei hatte uns doch der Prophet auf dem Sterbebett eingeschärft, als Teil seines Vermächtnisses: *Vertreibt die Götzendiener von der Arabischen Halbinsel, vertreibt die Götzendiener von der Arabischen Halbinsel!*

(Sollte der Prophet das wirklich gesagt haben, dann meinte er damit jene arabischen Götzendiener, die damals den Islam nicht annehmen wollten, d. Autoren.)

Wie stehen wir denn am Tage des Gerichts da, wenn wir gefragt werden, ob wir unsere Aufgabe erfüllt haben?

Gottes Erde ist groß, und die Interessen des Feindes sind darauf weit verstreut. Wir sollten aber auch versuchen, in Amerika und Israel direkt vorzustoßen. Tut was in Euren Kräften steht und schlagt hart auf sie ein, damit Gottes Wort die Oberhand gewinne.«[3]

Die Rolle bin Ladens in der Entwicklung der islamistischen Terrorbewegung

Im Ägypten der siebziger Jahre schossen islamistische Vereine wie Pilze aus dem Boden. Der blinde Prediger Omar Abder Rahman schweißte sie zu einem Großverband zusammen, der sich Gama'a Islamiya (»Islamistische Gemeinschaft«) nennt. Eine weitere wichtige Gruppe operierte allerdings unabhängig von Rahman. Sie bezeichnet sich als Al-Gihad Al-Islami (»Islamistischer Heiliger Krieg«).

Al-Gihad Al-Islami

Gihad meint dasselbe wie Djihad, die Ägypter sprechen das Wort nur als »Gihad« aus, wodurch man die ägypti-

sche Vereinigung von Djihad-Organisationen anderer
Nationalitäten unterscheiden kann. Die Führer der Gihad sprachen sich gegen die Ermordung von Polizisten
und auch gegen Anschläge auf Touristen aus. In ihren Augen würden sich derartige Aktionen auf ihre terroristischen Ziele nur negativ auswirken, zudem seien sie un-
islamisch. Ihnen ging es in erster Linie darum, hohe
Beamte, vor allem Minister, durch Attentate auszuschal-
ten. In Bezug auf ihre »Konkurrenten«, die Gama'a ver-
traten die Gihad-Anführer die Meinung, ein Behinderter
wie Omar Abder Rahman könne allenfalls geistliches
Oberhaupt sein, nicht aber Leiter der Organisation. Doch
hier sollten sie sich täuschen. Es war vielmehr ihre eigene Organisation, die immer wieder durch Spaltungen ge-
schwächt wurde. So erreichte die Gihad auch nie die Bedeutung der Gama'a-Organisation des blinden Predigers,
wenngleich sie als zweitwichtigste Terrororganisation viel
von sich Reden machte. So dauerte ein Guerillakrieg der
Djihadisten von 1981 (dem Jahr der Ermordung von Präsident Sadat) bis 1998 und kostete mehr als 1.300 Menschen das Leben. Ganz erloschen ist er auch heute noch
nicht.

Gama'a Islamiya

Die Gama'a des blinden Hasspredigers wurde schnell zur
stärksten Untergrundbewegung Ägyptens. Ihre Kämpfer
setzten sich verschiedene Ziele für ihre terroristischen Aktivitäten. Sie trachteten dem ägyptischen Präsidenten Mubarak nach dem Leben und ermordeten einfache Regie-
rungsbeamte und christliche Ladenbesitzer. 1996 töteten
sie in Luxor 58 europäische Touristen. Mit Anschlägen
auf ausländische Urlauber verfolgte die Gama'a das Ziel,

die wirtschaftliche Lage in Ägypten zu schwächen. Ihre Hoffnung: Eine allgemeine Verschlechterung der Wirtschaftslage müsse zu einem Volksaufstand führen. In einem ging ihre Rechnung auf. Indem sie die Touristen abschreckte, entzog die Gama'a Zehntausenden von Ägyptern die Lebensgrundlage. Doch die ägyptische Bevölkerung war durchaus in der Lage zu differenzieren und die wirklichen Schuldigen zu erkennen. Sie erhob sich keineswegs gegen die Regierung, sondern richtete ihren Hass über die Terroraktionen gegen die Verursacher: die Terroristen.

Als der Djihad in der Bevölkerung an Sympathien verlor, sah sich bin Laden veranlasst, sich in Ägypten einzuschalten. Er bedrängte die Führer von Gama'a und Gihad massiv: Sie sollten vom Kampf gegen die Machthaber im eigenen Land erst einmal Abstand nehmen und sich stattdessen auf den Kampf gegen den »Großen Satan« konzentrieren. Zu viele ihrer Aktivisten hätten bei den Aufständen das Leben verloren oder seien vom ägyptischen Sicherheitsdienst verhaftet worden. Dieser Krieg gegen Mubarak sei ihm zu teuer, klagte der sonst nicht kleinliche bin Laden.

Das Übereinkommen zwischen Gama'a und Gihad

Im Februar 1998 gaben die außerhalb Ägyptens tätigen Führer von Gama'a und Gihad ein Übereinkommen bekannt, das auf einen Zusammenschluss hinzudeuten schien. Die Annäherung wurde dadurch ermöglicht, dass sie sich gemeinsam dem Oberkommando bin Ladens unterwarfen. Dieser schuf neben Al-Qa'ida, seiner eigenen Kommandozentrale, noch eine Dachorganisation, die er »Globale Islamistische Kampffront gegen Juden und Kreuzritter« nannte.

Die Zusammenarbeit beinhaltete den Aufstieg von Dr. Aiman Az-Zawahiri, einem ägyptischen Arzt, der bisher Generalsekretär der Gihad gewesen war. Nach der Inhaftierung der meisten Gihad-Anführer war ihm die Leitung der Organisation zugefallen. Er wurde zu einem der engsten Freunde bin Ladens. Beide sind seit Jahren auf der Flucht vor ihren Regierungen, Zawahiri bereits seit 1985. Zawahiris Aufstieg vollzog sich auf Kosten mehrerer Rivalen. Darunter auch des Gama'a-Führers Omar Abder Rahman, der in den USA wegen seiner Verwicklung in den ersten Anschlag auf das World Trade Center inhaftiert ist. Seit er nicht mehr im Rampenlicht steht, leidet der blinde Prediger an Depressionen und trat deshalb seine Führerposition an Osama bin Laden und Zawahiri ab.

Seit 1998, als beide, Gama'a und Gihad, die Kampftätigkeiten in Ägypten mehr oder weniger einstellten, richtet sich die ganze Kraft ihres neuen Aktionismus gegen die Amerikaner. Dabei können sie sich auf die Unterstützung von Zehntausenden ägyptischen Mitkämpfern verlassen, die in der ganzen Welt verstreut leben.

Das Jahr 1998 brachte sowohl eine Umstrukturierung der Terroristengruppen samt ihrer Führerschaft als auch einen Taktikwechsel mit sich. Statt des selektiven Terrors stellte man jetzt eine weiterreichende Liste mit lohnenden Terrorobjekten auf, nicht weniger ambitioniert als die ursprünglichen Ziele der Gama'a. Man kam überein, die gewalttätigsten Mittel anzuwenden, auch wenn das Tausenden von Unbeteiligten das Leben kosten sollte. Die Vereinheitlichung von Personal, Taktik und Zielen wirkte sich in einer merklichen Zunahme an Aktionen sowie einer Radikalisierung des internationalen Terrors der Djihadisten aus. Bereits im November 1995 hatte ein Bombenanschlag auf die ägyptische Botschaft in der pakistanischen Hauptstadt Islamabad nicht nur 17 Diplomaten, sondern auch mehrere Afghanen und Pakistaner, die als Botschaftspersonal dienten, getötet. Doch dabei sollte es sich erst um die Generalprobe für die Anschläge auf die amerikanischen Botschaften in Ostafrika handeln.

Die zentrale Stellung der ägyptischen Islamisten ergibt sich aus ihrer breiten Anhängerschar im eigenen Land, aber auch aus der großen Zahl von Kadern in der ganzen Welt. Viele von ihnen sind im Untergrundkampf geschult und nicht wenige davon sind Experten auf verschiedenen technischen Gebieten. Zuweilen schien es so, als würden vor allem sie bin Ladens Stamm bilden, doch der saudische Millionär hatte stets auch zahlreiche Anhänger anderer Nationalitäten.

Der Kairoer Prozess gegen die »Balkan-Araber«

1999 kam es in der Häkstep-Kaserne bei Kairo zum Prozess gegen 107 Personen: Die Beschuldigung lautete Terrorismus. Die meisten der Angeklagten waren Mitglieder der Gihad. In den Medien wurde der Fall unter der Bezeichnung »Albanien-Rückkehrer« bekannt (analog zu der Verhandlung gegen die »Afghanistan-Rückkehrer«, die sich Jahre lang hingezogen hatte).

1998 hatte Albanien den ägyptischen Behörden 14 Ägypter übergeben, gegen die Haftbefehle liefen. Andere Beschuldigte wurden von folgenden Staaten ausgeliefert: Aserbeidschan, Bulgarien, Ecuador, Kanada, Kuwait, Pakistan, Südafrika, Uruguay, USA, Vereinigte Arabische Emirate sowie von mehreren anderen arabischen Staaten, die nicht erwähnt werden wollten. Fünf der Angeklagten saßen in England ein, ein weiterer in Österreich. Gegen 61 Personen wurde in Abwesenheit verhandelt. Von ihnen war bekannt, dass einige sich in Afghanistan aufhielten, andere im Jemen. Bei anderen kannte man den damaligen Aufenthaltsort nicht. Den meisten der Angeklagten wurde nachgesagt, sie hätten sich früher in Albanien, Bosnien oder Bulgarien aufgehalten, deshalb erhielten sie auch den Namen »Balkan-Araber«.

Der Hauptangeklagte, Ibrahim An-Nadjar, erklärte: »Ich bekenne mich zum Nairobi-Anschlag, denn die Botschaft dort war das größte Spionagenest zur Beobachtung islamistischer Bewegungen in der Region. Ich bin Muslim und gegen Juden. Ich stehe zu Osama bin Laden in allem, was er tut. Die Konfrontation mit Amerika ist eine Herausforderung, der wir alle uns stellen müssen, wir dürfen Zawahiri mit dieser Aufgabe nicht allein lassen. Das ist eine Pflicht, die der gesamten islamischen Nation obliegt.«[4]

Mit solchen Erklärungen brachten die Djihadisten ihre Wut über den CIA zum Ausdruck. Er soll an Verhaftungen und Verhören beteiligt gewesen sein. Drei der Djihadisten, darunter ein Sudanese, waren angeblich in Baku, der Hauptstadt Aserbeidschans, vom CIA entführt worden. Was auch immer die ägyptische Polizei an Foltermethoden angewandt hatte (in den Prozessen machten die Angeklagten den CIA dafür verantwortlich. Zwar rieben die Serben einen ganzen Trupp der arabischen Djihadisten auf – doch auch dafür wiesen die Gefangenen die Schuld den Amerikanern zu: Sie hätten den Kosovars eingeschärft, sich ja nicht mit den Arabern zusammenzutun. In London beschwerte sich der des Terrorismus verdächtigte Ibrahim Idarus, er befände sich auf amerikanischen Druck hin im Gefängnis – nicht etwa wegen ägyptischer Beanstandungen bei den Briten.

Die Angeklagten des Kairoer Prozesses machten aus dem Gerichtsverfahren eine Propagandashow gegen die Vereinigten Staaten und gelobten, ihren Krieg fortzusetzen. Ihre Schlachtrufe und Sprüche richteten sich nicht länger gegen die ägyptische Regierung, sondern gegen den »Großen Satan«:

»thaura thaura bi l-qur'ân didda l-yahûd wa l-amrîkân«

»Revolution mit dem Koran gegen Juden und Amerikaner!«

»thaura thaura islâmîya didd amrîka s-salîbîya«

»Islamische Revolution gegen das Kreuzzügler-Amerika!«

»ya clinton, ya la'în ya saffâha l-muslimîn«

»Clinton, du verdammter Muslim-Schlächter!«[5]

Osama bin Laden wurde nicht formell angeklagt, doch beschuldigten ihn die Sicherheitsdienste mit Hilfe von Gihad in Ägypten eine neue Islamisten-Generation heranzuziehen, rekrutiert vor allem an den Universitäten und in den Slums.

Vom Hindukusch zum Viktoria-See

Der Djihadismus hat sich schnell globalisiert. Schon 1995 bereiste Zawahiri die USA, um Gelder aufzutreiben. Zu diesem Zweck besuchte er Moscheen, die hauptsächlich von Ägyptern und anderen Arabern unterhalten werden.

AbuDhahab

Einer von Zawahiris Gefolgsleuten, AbuDhahab, begab sich nach San Francisco, um dort an einer US-amerikanischen Flugschule fliegen zu lernen. Sein Wissen vermittelte er später an Djihadisten in der afghanischen Stadt Djalalabad. Das war der Beginn der professionellen Flugausbildung, die das notwendige technische Know-how lieferte, das später bei den Kamikaze-Flügen auf das New Yorker World Trade Center zum Einsatz kommen sollte. Damals ging es der Gihad allerdings noch vorrangig darum, mit einem Gleitflugzeug vom Moqattam-Hügel am Rande Kairos zum Turra-Gefängnis zu fliegen, um dort inhaftierte Gihad-Mitglieder zu befreien. Dazu kam es allerdings nie. Stattdessen kehrte AbuDhahab in die Vereinigten Staaten zurück, wo er eine verdeckte Schaltzentrale betrieb. Er erhielt Anrufe von Mitstreitern aus aller Welt und verband sie mit Aktivisten in Ägypten. Auf diese Weise beteiligte er sich direkt an der Vorbereitung von Terroranschlägen. Außerdem versorgte er von hier aus Zawahiri mit gefälschten Reisedokumenten.[6]

Abu-s-Sa'ud

Ein weiterer Gihad-Aktivist, Abu-s-Sa'ud, ehemals Offizier in einer ägyptischen Sondereinheit, trat 1987 der US-Armee bei und unterwies amerikanische Offiziere in der Topographie des Mittleren Ostens. Insgeheim war er jedoch für bin Laden tätig.[7]

'Ali Ar-Rashidi, genannt Al-Banshiri

Der wohl abenteuerlichste unter den Wegbereitern des Djihadismus war 'Ali Ar-Rashidi, genannt Al-Banshiri. Sein Beiname ist zugleich die arabische Verballhornung für das afghanische Pandj-Scher-Tal. Hier hatte Rashidi auf Seiten des vor kurzem ermordeten afghanischen Kriegsherrn Mas'ud gegen die Russen gekämpft. »Banshiri« machte Schlagzeilen, als im kenianischen Teil des Viktoria-Sees ein Passagierdampfer versank. Obwohl Rashidi bei dem Anschlag ertrunken sein soll, verurteilte ihn das ägyptische Militärgericht zur Sicherheit dennoch zu lebenslanger Haft. Man ging davon aus, der untergetauchte Afghanistanveteran könnte vielleicht auf einem anderen Kontinent wieder auftauchen.[8]

Eigentlich hätte der Bericht über Rashidis feuchten Tod die Aufmerksamkeit auf die Anwesenheit von bin Ladens Mitstreitern in Ostafrika lenken sollen. Es ist schon beschämend, dass nach den Anschlägen auf die US-Botschaften in Dar-es-salam und Nairobi verwundert die Frage gestellt wurde: Wer hätte denn so etwas in Kenia erwartet? Nairobi war seit Anbeginn des Djihadismus eine Drehscheibe für die Aktivisten. Bevor bin Laden 1996 den Sudan verlassen musste, war er selbst mehrfach zwischen Khartum und Nairobi hin- und hergeflogen, und einige seiner Vertrauten pendelten in jenen Jahren ständig zwischen dem Sudan und Kenia.

Die Skepsis, die die ägyptischen Behörden der Nachricht von Rashidis Tod im Viktoria-See entgegenbrachten, erklärt sich aus der systematischen Desinformationspolitik der Gihad. 1996 berichtete die Organisation in allen Einzelheiten, zahlreiche Fotos eingeschlossen, über Zawahiris Tätigkeit in der Schweiz, obwohl dieser sich in Wirklichkeit in einem ganz anderen Land aufhielt. Während der Gerichtsverhandlung von 1998 hieß es, er halte sich in Albanien auf und befände sich dort in einer misslichen Lage. Dies schien jedoch wieder einmal auf eine Falschmeldung seiner Mitstreiter zurückzugehen.

Erkenntnisse aus dem Kairoer Prozess

Während der Kairoer Prozesse kam ans Licht, dass Malaysia längere Zeit eine wichtige Drehscheibe für die internationalen Gihad-Aktivitäten gewesen war. Diese Enthüllung trug zur Ausschaltung von Anwar Ibrahim bei, dem islamistischen malaysischen Minister, der bis dahin in Kuala Lumpur als »Kronprinz« von Präsident Mahathir galt.[9] Noch mehr Aufhebens verursachte jedoch die Enthüllung eines Planes, demzufolge bin Laden auf Schleichwegen nach Ägypten gebracht werden sollte, um sich durch eine kosmetische Operation unkenntlich machen zu lassen.[10] Solche Künste traute man den bäuerlichen Taliban nicht zu; hier wurde pharaonisches Geschick benötigt.

Die Geständnisse der »Albanien-Rückkehrer« bestätigten, dass bin Laden in der Tat so gefährlich ist wie von Terrorismusexperten bereits behauptet. Einer seiner verhafteten Mitarbeiter ließ vernehmen, der saudische Extremist sei im Besitz von biologischen und chemischen Waffen. Einige Kommentatoren gaben der Hoffnung Ausdruck, dass es sich dabei nur um Einschüchterung handle, ein weiteres Stück Desinformation. Doch der Angeklagte, der diese Informationen preisgab, verhielt sich genau wie die meisten der anderen Angeklagten: trunken vor Siegesgewissheit. Die meisten Beobachter wurden auch nach dem Prozess ein dumpfes Gefühl nicht los.[11]

Die ägyptische Regierung behauptet zwar, den Terrorismus im eigenen Lande unter Kontrolle zu haben, doch stellt man sich in Kairo auf weitere Prozesse nach dem Muster der Fälle der »Afghanistan-Rückkehrer« und der »Albanien-Rückkehrer« ein.

Der Terror aus der Luft

Wie oben erwähnt, begann die Pilotenausbildung von bin Laden-treuen Anhängern in den USA bereits in den achtziger Jahren. Die Notwendigkeit braucht kaum erläutert zu werden, musste doch bin Laden auf seinen wiederholten Reisen von Khartum nach Nairobi den in »Feindeshand« befindlichen Südsudan überqueren. Auch in Afghanistan kommt man mit Flugzeugen schneller ans Ziel, gibt es doch kaum noch intakte Straßen. Ausschlaggebend für die gezielte Ausbildung von Piloten waren jedoch von Anfang an terroristische Erwägungen: Was mit einer geplanten Gefangenenbefreiung begann, erreichte seinen Höhepunkt mit der Zerstörung von »Pharaos Haus«, des World Trade Centers in New York.

Selbst die entsetzten Amerikaner sahen sich nach den Attentaten vom 11. September 2001 gezwungen, den Flugkünsten der Attentäter Achtung zu zollen. Zuvor verliefen Terroraktionen der Djihadisten in der Ausführung eher stümperhaft, wie zum Beispiel beim ersten Versuch, das World Trade Center zum Einsturz zu bringen. Der Schlag vom September 2001 war dagegen in der technischen Durchführung beängstigend perfekt. Ein entscheidender Grund dafür war sicher die gründliche Flugausbildung in mehreren Ländern, hauptsächlich Afghanistan, Deutschland und den USA.

Rasul Pervez (Deckname), ehemals Flugkapitän bei der afghanischen Luftlinie Ariana, hat die Pilotenausbildung von 14 jungen Kamikaze-Kandidaten in Afghanistan geschildert. Ihm, Rasul, und zwei weiteren Ariana-Piloten hatten die Taliban befohlen, den Djihadisten beizubringen, wie man Flugzeuge steuert. Im Jahr 2000 war die Ausbildung abgeschlossen und seitdem habe er seine Schüler nicht mehr zu Gesicht bekommen. Danach verlange es ihn allerdings auch nicht, denn es handle sich, wie Rasul meint, um »religiöse Fanatiker«. Einige davon seien Pakistaner gewesen, die anderen Araber, zum Teil mit europäischen Pässen. An der Ausbildung sei auch ein pakistanischer General im Ruhestand namens Aslam Khan beteiligt gewesen.

Die Zerstörung des Hauses Pharao

Ein halbes Jahr vor dem ersten Anschlag auf das New Yorker World Trade Center 1993 hielt der sudanesische Islamisten-Ideologe Hassan At-Turabi eine Predigt in der Taqwa-Moschee in Brooklyn. Diese Gemeinde von fast ausschließlich schwarzamerikanischen Islamkonvertiten leitet der lokale Extremistenchef Siraj Wahhaj. Turabi, seinerzeit eigentlicher Machthaber im Sudan, war ganz offiziell wie ein Staatsoberhaupt zu einem Besuch der Vereinten Nationen gekommen. Hier stand er nun und predigte zu den Neubekehrten, gewissermaßen im Schatten der beiden Türme des World Trade Centers. Die Predigt wurde nicht auf Arabisch, sondern auf Englisch gehalten, und Kopien der Videokassette werden in den Geschäften amerikanischer Islamisten noch immer zum Verkauf angeboten.

In der entscheidenden Passage beglückwünscht Turabi die amerikanischen Glaubensbrüder. Sie seien gut dran, wüchsen sie doch wie Moses im Hause des Pharao auf. Das ermögliche es ihnen, genau wie Moses, »das Haus Pharaos zum Einsturz zu bringen, von innen her!«

Ein Außenstehender begreift vielleicht nicht sofort, was damit gemeint ist. Für Islamisten gibt es jedoch keinen Zweifel, nicht eine Sekunde lang, denn die Begriffe entstammen einer wohl bekannten Rhetorik der Islamistenliteratur. Mit dem Haus Pharaos ist im weitesten Sinne

Amerika gemeint. Im engeren Sinne bezeichnet der Begriff die Zentren und Symbole amerikanischer Macht, und ganz speziell das World Trade Center, das als Sinnbild und als Schaltstelle der materialistischen Götzendiener gilt.

Die Pharao-Analogie erfreut sich bei Islamisten großer Beliebtheit und wird in vielerlei Zusammenhang gebraucht. So jubelte auch der Mörder Präsident Sadats nach dem Anschlag: »Ich habe den Pharao getötet, ich habe den Pharao getötet!«

Omar Abder Rahman, der blinde Begründer des Djihadismus, drückte sich ähnlich aus wie der sudanesische Professor Turabi. Folgendermaßen fasst einer seiner Getreuen in seinem Notizbuch die Predigten Omar Abder Rahmans, des ägyptischen Möchtegern-Khomeini, zusammen: Militärische Einrichtungen der Amerikaner anzugreifen sei schwer und bringe nicht viel, es gebe zu viele davon. Mit der Militärmacht könne man es nicht aufnehmen. Viel wirksamer sei es, ihre höchsten Gebäude in die Luft zu jagen, ihre stolzesten Bauten niederzureißen sowie die als Touristenattraktionen dienenden Nationaldenkmäler. Sodann müsse man dort zuschlagen, wo die größte Zahl der Chefs des Kapitalismus zusammenkomme. Auf diese Weise könne man den Feind gründlich demoralisieren und in die Knie zwingen. Der Autor dieses Notizbuches, Sayyid Nussair, erschoss 1991 in New York den Extremisten-Rabbiner Meir Kahane.

Bin Laden hat es schließlich geschafft. Selbst wenn die Attentäter nur zu seinen Bewunderern zählten und ohne einen direkten Auftrag von seiner Seite handelten, gilt er nun doch als Verantwortlicher für den Einsturz der babylonischen Türme – den einen ein Held, den anderen ein Teufel.

Meldungen über eine Zusammenarbeit zwischen bin Ladens Al-Qa'ida und der iranischen Hizbullah sind mit Vorsicht zu genießen. Bin Laden und sein enger Umkreis sind anti-schi'itische Fanatiker und deshalb mit dem Iran nicht liiert. Doch in der Denkweise bin Ladens gibt es starke Anklänge an Khomeini. Der Ayatollah hatte keine Bedenken, die Interessen des Islamischen Staates über die Normen des Koran zu stellen. Und zwar verkündete er öffentlich, seitdem nun der Islamische Staat (seine Theokratie im Iran) bestehe, sei es die vordringlichste Aufgabe, diesen Staat zu bewahren. Demgegenüber sei die Einhaltung der religiösen Glaubenspflichten durchaus zweitrangig.

Die Gelehrten des traditionellen Islam waren zutiefst schockiert. So unverfroren die Politik über die Ethik zu setzen, das hatte in ihren Augen noch niemand gewagt. Hätten sie die Schriften 'Abdullah 'Azzams gelesen, dann wäre ihnen Khomeinis Forderung vertraut vorgekommen. Denn bin Ladens Freund und Lehrer zielte genau in dieselbe Richtung wie Khomeini, nach dem Motto »der Zweck heiligt die Mittel«.

Bin Laden selbst verfasst keine Schriften, sondern er handelt.

Osama bin Ladens Position in Afghanistan

Bin Ladens Ansehen in der islamischen Welt ist starken Schwankungen unterworfen. Bei den Afghanen war er anfangs populär, kam er ihnen doch in ihren schwersten Stunden zu Hilfe, als der afghanische Widerstand der russischen Übermacht zu erliegen drohte. Zudem kam er aus

Arabien zu ihnen, aus dem Land der Heiligen Stätten. Außerdem war er steinreich, lebte aber unter ihnen wie ein Asket. Kurz, er hatte etwas von einem Heiligen an sich, was noch durch seine ruhige Art unterstrichen wurde, durchaus aber auch durch seine Redegewandtheit.

Heute ist in Afghanistan wohl kaum jemand so verhasst wie bin Laden. Das liegt vor allem daran, dass er das Gastrecht und den Schutz der Taliban-Miliz genießt, die inzwischen für die Mehrheit der Bevölkerung zu einem Regime des Schreckens geworden ist. Selbst in ihrem Stammgebiet, im afghanischen Südosten, haben die Taliban die Bevölkerung längst nicht mehr mehrheitlich hinter sich. Die ethnische Basis für die Taliban-Bewegung bildete das einstige Staatsvolk der Paschtunen, die heute jedoch nur noch knapp 40 Prozent der Gesamtbevölkerung Afghanistans ausmachen. Von den übrigen Volksgruppen wie Tadschiken, Hazara und Usbeken werden die Taliban gehasst. Die Taliban selbst sind außerdem alles andere als homogen. Nicht wenige waren früher Kommunisten und haben sich der Bewegung nach dem Rückzug der Sowjets nur angeschlossen, um nicht hingerichtet zu werden. Zudem sind auch die Paschtunen-Stämme untereinander zerstritten.

Allen gemeinsam ist heute der Hass auf Osama bin Laden und seine Gefolgschaft »arabischer Afghanen«. Den Schi'iten, die wenigstens 20 Prozent der Gesamtbevölkerung Afghanistans ausmachen, gilt er als Todfeind, und nicht zu Unrecht: Sein wahhabitischer Fundamentalismus, jene Sekte, die in bin Ladens Heimat Saudi-Arabien vorherrschend ist, vermag die Schi'iten nicht zu tolerieren. Nach seiner Meinung über die Schi'iten befragt, antwortete ein Mitarbeiter bin Ladens deswegen ohne zu überlegen: »Schlimmer als Juden und Christen!«

1997 und 1999 verübten die Taliban Massaker an einer schi'itischen Minderheit der Mongolen in Zentralafghanistan, den Hazaras. Die Hazaras suchen die Schuld dafür bei bin Laden. Hinzu kam im Frühjahr 2001 die Zerstörung der Buddha-Statuen von Bamyan, im Gebiet der Hazara, die ebenfalls von »arabischen Afghanen« angezettelt wurde. Es fiel bin Laden und seinem Kreis gar nicht leicht, die Taliban zu dieser Zerstörung zu überreden, denn selbst der fanatischste Islamist hat als Afghane eine instinktive Hochschätzung für diese Kulturdenkmäler, welche die historische Identität des Landes verkörpern. Doch gemäß des wahhabitischen Fundamentalismus bin Ladens darf es keine Grabsteine geben, weder heidnische noch muslimische. Folglich wollten die »arabischen Afghanen« auch in Afghanistan alle Grabstellen zerstören. Diesem Vorgehen widersetzte sich jedoch sogar der Taliban-Kalif Mullah Omar aus Kandahar. Was immer in dieser Hinsicht geschieht, wird von den Afghanen pauschal Osama bin Laden in die Schuhe geschoben, dessen arabische Schergen sich im Lande wie ausländische Besatzer aufführen.

Einen Tag vor den Anschlägen auf New York und Washington, am 10. September 2001, wurde Afghanistans Kriegsheld Ahmad Schah Mas'ud (Massoud) Opfer eines Attentats. Mas'ud hatte seit 1997 den Widerstand gegen die Taliban angeführt. Zwei angebliche Journalisten mit belgischen Pässen interviewten Mas'ud in seiner Hochburg im Nordosten Afghanistans. Als einer der beiden eine Fotoaufnahme machte, explodierte die Kamera, tötete den Attentäter und verletzte Mas'ud so schwer, dass auch er eine Woche später starb. Der andere Attentäter wurde von den Wachen erschossen. Bei den beiden Selbstmordattentätern handelte es sich um Algerier aus der Anhängerschar von bin Laden. Als weltweit bewunderter Bezwinger der Sowjetmacht erfreute sich Mas'ud selbst bei politischen Gegnern hoher Achtung. Doch bin Ladens »arabische Afghanen« hatten ihn als Abtrünnigen verteufelt. Das war ein starkes Stück, wenn man bedenkt, dass Mas'ud zu einem islamistischen Studentenverband gehörte und sich von dieser Ideologie zeitlebens nicht löste – obschon es unter seiner Herrschaft vergleichsweise freiheitlich zuging.

Selbst unter paschtunischen Gegnern Mas'uds in Afghanistan fanden es viele unerträglich, dass sich Ausländer – Gäste im Lande – zu Meistern des afghanischen Geschickes aufschwangen.

In Pakistan präsentiert sich die Lage noch komplizierter. Dabei sind die Zahlenverhältnisse zu bedenken. Pakistan hat fast 150 Millionen Einwohner, Afghanistan kaum 15 (die afghanischen Zahlen werden bisweilen ins Unermessliche übertrieben, einige Statistiken sind sogar schon bei 26 Millionen angelangt). In Pakistan machen die Taliban-nahen Paschtunen nur 20 Prozent der Gesamtbevölkerung aus, doch ihre reale Zahl ist höher als die der Paschtunen in Afghanistan. Den stärksten Zulauf erhalten die Taliban aber nicht aus den Reihen der Paschtunen, sondern aus anderen Bevölkerungsgruppen Pakistans, wie den Pandjabis und den Muhadjirs. Auf der anderen Seite erfuhr der ermordete Mas'ud mit seiner anti-talibanischen Haltung in Pakistan auch gewaltigen Zulauf. Die überwiegend anti-islamistische Bildungsschicht warnt schon seit Jahren vor einer Afghanisierung Pakistans, neuerdings spricht man sogar von einer drohenden Talibanisierung. Der Grund dafür ist vor allem in der phänomenalen Zunahme der Madrasas zu suchen. Ursprünglich bedeutet Madrasa eine Art Religionsschu-

le, heute wird dort in erster Linie islamistische Indoktri-
nierung betrieben und Djihad gelernt. Eine Million aus
diesen Djihad-Madrasas hervorgegangener Pakistaner
stellen einen neuen sozialen und militärischen Faktor dar.
Damit hat sich die Stimmung im Lande radikal verändert. Die Anti-Islamisten sind zwar zahlenmäßig noch
weitaus stärker, doch sind sie eingeschüchtert. Für das
neue Riesenheer der Djihadisten Pakistans ist bin Laden
der Glaubensstreiter und Held, bald schon ein *Mahdi*
(Messias).

In den Augen der Afghanen war Mas'ud das letzte Boll-
werk gegen die Verpakistanisierung Afghanistans. In den
Augen der pakistanischen Djihadisten dagegen war
Mas'ud der Teufel, der die Vereinigung beider Staaten
verhinderte. Sie möchten einen kompakten Staat aus Afghanistan, Pakistan und Kaschmir schaffen, der dann enge Beziehungen zu den Nachbarn im Norden unterhalten
soll – Turkmenistan, Usbekistan, Tadschikistan, Kirgisien
und Kasachstan. Mas'uds Tod mag sich unbedeutend aus-
nehmen gegenüber den Tausenden von Toten in den USA,
doch war es ein Schlag von weitreichender geopolitischer
Bedeutung. Den Afghanen fehlt es zwar nicht an fähigen
Anti-Taliban-Führern, doch befinden sich die meisten von
diesen noch im Untergrund. Mas'uds Tod könnte aber
auch neue Koalitionen ermöglichen.

Gerüchten zufolge soll bin Laden als vierte Frau eine
Tochter des Mullah Omar geheiratet haben. Damit wäre
eine Auslieferung durch die Taliban undenkbar. Entscheidender aber dürften dennoch zwei andere Faktoren
sein. Die Taliban-Herrschaft ähnelt in mancher Hinsicht
einem Rauschgiftkartell. Kandahar, die Taliban-Haupt-
stadt, ist auch das Zentrum für den Handel mit Opium.
Es wird hauptsächlich im westlich der Stadt gelegenen

Helmand-Gebiet angebaut. Die Rauschgiftmafia ist gewissermaßen das Rückgrat der Herrschaft Mullah Omars, der dort daheim ist. Man nenne es Helmand-Kartell oder Kandahar-Kartell, bin Laden hilft beim Vertrieb und verdient daran, und zwar so sehr, dass ein wütender Präsident Mubarak in Kairo wettert, bin Laden seit jetzt reicher als je zuvor. Die Taliban-Propaganda behauptet, der Anbau sei unterbunden worden, doch liegt Afghanistan weiterhin mit Abstand an der Spitze der Opium und Heroin exportierenden Staaten. Mehrere Musterernten haben so viel eingebracht, dass die Taliban es sich leisten konnten, demonstrativ einige Felder zu verbrennen und die Rauschgiftproduktion vorübergehend zu drosseln. Der Preis für Rohopium nach dem Edikt stieg von 35 US-Dollar auf über 125 US-Dollar an. Schätzungen gehen davon aus, dass genügend Heroin gebunkert wurde, um Europa für die nächsten drei bis vier Jahre zu versorgen. Rauschgiftmafia und Taliban-Herrschaft sehen ihre Interessen so stark mit bin Laden verknüpft, dass es ihnen schwer fällt, den arabischen Großunternehmer fallen zu lassen.

Es ist nicht nur das Rauschgift alleine. Noch größere Einnahmen konnten über den Warenschmuggel aus den Golfstaaten, Iran, China und anderen Ländern nach Pakistan und in die Zentralasiatischen Staaten erzielt werden. Afghanistan gilt als der größte Handelspartner der Region für die Golfstaaten, die als ein einzigartiger Freihafen zu betrachten sind. Durch diesen Schmuggel bestehen Verbindungen zu Banken, Politik, Militär und Geheimdiensten, sowohl in den Golfstaaten als auch nach Pakistan und in die Zentralasiatischen Staaten.

Der stärkste Schutz für bin Laden dürfte dennoch von pakistanischen Islamisten kommen. Für Männer vom Schlage des nun in Kandahar angesiedelten Generals Hamid Gul ist die Taliban-Herrschaft ihr Lebenswerk. Jahrzehntelang haben sie um Afghanistan gekämpft, damit Pakistan die nötige strategische Tiefe für den Krieg mit Indien gewinnt. Bin Laden ist ihr Weggefährte und Kampfgenosse, der ihnen auch in Kaschmir geholfen hat, den Aufstand gegen die Inder in Gang zu halten. Von ihnen darf man nicht erwarten, den Islamisten aus Arabien ohne Widerstand aufzugeben. So ergibt sich insgesamt gesehen ein recht widersprüchliches Bild der Position bin Ladens in Afghanistan.

Zeittafel: Osama bin Laden

1955

Osama bin Laden wird als 17. von 57 Kindern von Muhammad bin Laden, einem Multimillionär und Bauunternehmer jemenitischer Abstammung, im saudi-arabischen Dschidda geboren. (Einige Quellen geben das Geburtsjahr von Osama bin Laden allerdings mit 1957 an.)

1977

Bin Laden arbeitet als junger Unternehmer im Konzern seines Vaters. In dieser Zeit wird er auch mit den Schriften einiger Islamisten vertraut, in denen die religiös-politischen Extremisten zum Heiligen Krieg (Djihad) gegen die Feinde des Islam aufrufen. Darunter verstehen sie speziell die USA. Krönung eines solchen Djihads sei der Märtyrertod durch Selbstaufopferung.

Osama bin Laden. (dpa)

*Mutmaßlicher Terroristenstützpunkt in
Khost/Afghanistan, 1991. (dpa)*

*US-Außenministerin Albright vor der ausgebombten
Botschaft in Dar-es-salam, 1998. (dpa)*

Vergeltungsschlag der Amerikaner: eines der vier zerstörten Terroristen-Camps in Khost, 20.8.1998. (dpa)

Osama bin Laden nach dem Angriff der USA vom 20.8.1998. (dpa)

Der Einschlag der zweiten Maschine in das WTC
am 11.9.2001. (dpa)

Der zerstörte Pentagonflügel nach dem Attentat am 11.9.2001. (dpa)

Präsident George W. Bush erfährt bei einem Schulbesuch in Florida von den Terroranschlägen. (dpa)

Tausende fliehen über die Brooklyn Bridge. (dpa)

Die ersten Stunden der Bergungsarbeiten. (dpa)

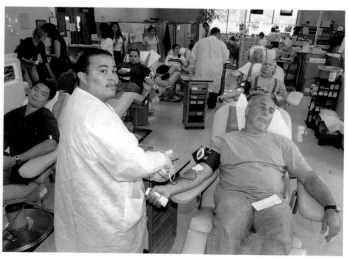

Freiwillige bei der Blutspende. (dpa)

200000 Menschen versammelten sich am 14.9.2001,
dem »Tag der Trauer«, in Berlin. (dpa)

Trauer in New York: der Union Square am Morgen
des 17.9.2001. (dpa)

1979

In Afghanistan kommt es zum Einmarsch sowjetischer Truppen. Pakistan reagiert mit dem Aufbau von islamistischen Widerstandsgruppen, die von Saudi-Arabien finanziert und von den USA mit Waffen beliefert werden.

1980

Osama bin Laden fliegt in die pakistanische Stadt Lahore, wo er im Hauptquartier der Islamistenpartei Jama-'at-e Islami eine Spende für den afghanischen Widerstand überreicht.

1981

In Ägypten wird Präsident Sadat von einem Islamistenkommando erschossen. Einigen der Attentäter gelingt es, nach Afghanistan zu fliehen, wo sie sich den Mudjahidin (extremistischen Widerstandskämpfern) anschließen.

1984

In der pakistanischen Grenzstadt Peschawar gründet 'Abdullah 'Azzam, ein palästinensischer Islamist aus Jordanien, das Maktabu l-khidamat (»Dienstleistungsbüro«) für arabische Islamisten, die sich dem afghanischen Widerstand anschließen möchten. Die Gelder kommen zum großen Teil von dem mit 'Azzam befreundeten Osama bin Laden. 'Azzam bezeichnet bin Laden als einen »gottgesandten Engel« und macht ihn zu seinem »Djihad-Schüler«. Er nimmt bin Laden mit nach Afghanistan in ein von den Mudjahidin gehaltenes Gebiet, wo es zu heftigen Kämpfen mit den Sowjets kommt. Bin Laden bleibt von da an überwiegend in dieser Region.

1986

Bin Laden errichtet auf afghanischem Boden, nahe der pakistanischen Grenze, ein gesondertes Ausbildungslager für arabische Islamisten und nennt es Masadda (»Löwenburg«). Besonders zahlreich unter seinen arabischen Freischärlern sind Ägypter, Algerier, Saudi-Arabier und Jemeniten.

1988

Bin Laden, bis dahin eine Art Anhang zu 'Azzam, gründet in Afghanistan sein eigenes Djihad-Büro und nennt es Al-Qa'ida (»Die Basis«). Es stellt die Schaltzentrale für seine mittlerweile weltumspannenden terroristischen Aktivitäten dar.

1989

Die sowjetischen Truppen ziehen aus Afghanistan ab, gleichzeitig wächst aber die Zahl der arabischen Islamisten, die nun auf Seiten der afghanischen Mudjahidin gegen das Kabuler kommunistische Regime kämpfen. Bin Laden kehrt nach Saudi-Arabien zurück, um wieder im Familienbetrieb zu arbeiten.

In Peschawar wird Schaikh Dr. 'Abdullah 'Azzam von einer Autobombe getötet. Die Urheberschaft des Anschlags bleibt ungeklärt.

1990–1991

Die Vereinigten Staaten entsenden Truppen nach Saudi-Arabien, um die irakischen Invasoren aus Kuwait zu vertreiben. Bin Laden sieht in der Präsenz von Amerikanern (»dreckigen Ungläubigen« wie er sagt) eine Entweihung der heiligen arabischen Erde. Er zieht in den Sudan, wohin er auch das Al-Qa'ida Hauptquartier verlegt.

1992

In Algerien kommt es zum Islamistenaufstand gegen die Militärregierung. Eine besonders extreme Fraktion, geführt von ehemaligen Afghanistankämpfern, gründet die mörderische GIA (»Bewaffnete Islamische Gruppe«). Bin Laden unterstützt sie finanziell.

Im Rahmen einer Hilfsaktion der Vereinten Nationen entsenden die USA Truppen nach Somalia. Daraufhin lässt bin Laden seine Al-Qa'ida verkünden, amerikanische Truppen in Saudi-Arabien, dem Jemen und dem Horn von Afrika seien Zielscheiben für den Djihad.

1993

Ein Al-Qa'ida-Kommando beteiligt sich an einer somalischen Auseinandersetzung mit US-Soldaten, bei der 18 Amerikaner getötet werden.

In der Tiefgarage des New Yorker World Trade Center explodiert eine von Islamisten angebrachte Sprengladung. Dabei werden sechs Menschen getötet und mehr als 1.000 verletzt. Laut Plan der Terroristen hätte der gesprengte Turm auf den Zwillingsturm fallen sollen. Dies hätte rund 50.000 Menschen in den Tod gerissen. Einigen der Attentäter werden Beziehungen zu Al-Qa'ida nachgewiesen.

1994

Saudi-Arabien entzieht Osama bin Laden die Staatsbürgerschaft, und sein Clan erklärt ihn als nicht länger zur Familie gehörig.

In der Pariser U-Bahn werden acht Personen durch Bombenanschläge getötet, die auf das Konto von in Afghanistan ausgebildeten Islamisten aus Algerien gehen.

1995

In der saudi-arabischen Hauptstadt Riad tötet eine Autobombe fünf Amerikaner und zwei Inder. Beschuldigt werden sowohl der Iran als auch bin Laden. Die Behörden enthaupten die vier Attentäter. Weitere Nachforschungen über die Hintermänner werden dadurch stark erschwert.

1996

Unter dem Druck Washingtons fordert das Islamistenregime in Khartum bin Laden auf, den Sudan zu verlassen. Er begibt sich wieder nach Afghanistan, wo er sich anfangs in Djalalabad nahe der Grenze zu Pakistan aufhält.

In Afghanistan tobt ein Bürgerkrieg zwischen den zahlreichen Fraktionen der Islamisten. Im Süden tritt erstmals die Taliban-Miliz auf, die einen neuen Versuch Pakistans darstellt, die Lage im Sinne Islamabads zu stabilisieren. In der saudi-arabischen Stadt Dhahran werden 19 US-Soldaten durch eine Bombenexplosion getötet. Der Verdacht fällt auf bin Ladens Al-Qa'ida.

1997

Im kriegsmüden Afghanistan machen die von Pakistan unterstützten Taliban-Milizionäre rasche Fortschritte und bringen den größten Teil des Landes unter ihre Kontrolle. Noch wissen die Menschen nicht, welch repressiv-theokratisches Regime ihnen bevorsteht. Bin Laden lässt alte Freunde wie Hekmatyar fallen und stellt sich auf Seiten der Taliban.

1998

Nahe der ostafghanischen Stadt Khost gründet bin Laden, zusammen mit flüchtigen Terroristen aus mehreren muslimischen Staaten, die »Internationale Kampffront gegen Juden und Kreuzzügler«. Sie soll den Djihadisten aller Länder als Dachverband dienen. Ein erstes religiöses Edikt dieser Kampffront erklärt es als religiöse Pflicht eines jeden Muslim, Amerikaner zu töten, wo immer möglich, einschließlich Zivilisten. Gleichzeitig kommt es beim Opiumanbau zu einer Rekordernte. Bin Laden hilft den Taliban beim Verkauf. Daraus entsteht ein für alle Seiten einträgliches Geschäft.

Im tansanischen Dar-es-salam und im kenianischen Nairobi werden gleichzeitig Bombenanschläge auf die US-Botschaften verübt, bei denen über 200 Menschen ihr Leben verlieren und Tausende verletzt werden. Bin Ladens Urheberschaft wird ihm rasch nachgewiesen. Die USA setzen ein Kopfgeld von fünf Millionen Dollar für seine Ergreifung fest und versuchen, ihn durch Raketenbeschuss seiner Lager in Afghanistan zu töten. Er entkommt um Haaresbreite. Die Taliban weigern sich, ihn auszuliefern, da seine Schuld nicht nachgewiesen sei.

1999

Der Opiumanbau, konzentriert in Südostafghanistan, dem Stammgebiet der Taliban, erlebt nochmals eine »Jahrhundernternte«. Der daraus resultierende Gewinn entschädigt bin Laden für die hohen Verluste, die durch das Einfrieren seiner US-Konten entstanden sind.

In den USA wird der aus Kanada kommende Algerier Ahmed Ressam festgenommen. Er hat eine Sprengladung bei sich und gibt zu, einen Anschlag im Sinne bin Ladens geplant zu haben.

Jordanien gibt die Aufdeckung eines Al-Qa'ida-Planes bekannt, die Feiern zur Jahrtausendwende durch Anschläge auf Touristenzentren zu vereiteln.

2000

Ein früherer Sergeant der US-Armee, der aus Ägypten stammende Ali Mohammed, gibt vor Gericht zu, an den ostafrikanischen Attentaten im Auftrag bin Ladens mitgewirkt zu haben.

Im jemenitischen Hafen Aden wird ein Bombenanschlag auf den US-Zerstörer Cole verübt, bei dem 17 amerikanische Seeleute getötet werden.

2001

Am 10. 9. 2001 wird der afghanische Kriegsheld Ahmad Schah Mas'ud, der im Nordosten des Landes seit Jahren

Widerstand gegen die Taliban-Miliz leistet, Opfer eines Selbstmordattentats. Als Drahtzieher wird auch hier bin Laden vermutet.

Einen Tag später, am 11. September 2001, werden die USA Ziel einer konzertierten Terroraktion. In New York rasen zwei von Selbstmordattentätern gesteuerte Passagierflugzeuge in die beiden Zwillingstürme des World Trade Centers, die infolge der Kollision in sich zusammenstürzen und Tausende von Menschen unter sich begraben. Etwa zeitgleich stürzt ein anderes Passagierflugzeug in Washington auf das Pentagon und bringt einen Flügel der militärischen Machtzentrale zum Einsturz. Ein viertes entführtes Passagierflugzeug, das Kurs auf Camp David, den Landsitz des Amerikanischen Präsidenten, genommen haben soll, stürzt einige Stunden später in der Nähe von Pittsburgh über freiem Feld ab.

Trotz massiven Drucks der USA, die Osama bin Laden für die Terrorserie verantwortlich machen, und trotz der Androhung von militärischen Vergeltungsschlägen lehnen die Taliban die von den USA geforderte Auslieferung bin Ladens ab, solange nicht der eindeutige Beweis seiner Schuld erbracht worden sei.

Über die Psychologie von Selbstmordattentätern

In der *Washington Times* berichtete am 17. 9. 2001 eine Journalistin über ihren Ausflug zum Dorf Alamut, das in den Bergen nordwestlich von Teheran, fast am Rande des Kaspischen Meeres liegt. Es war nicht leicht und zudem recht beschwerlich dorthin zu gelangen, zumal ihrer Schilderung nach niemand den Ort kannte. Alamut ist ein unbedeutendes Bergdorf zu Füßen einer Festungsruine aus dem 11. Jahrhundert. Einst regierte hier ein verbitterter Gelehrter das Land, eine morgenländische Mischung aus Drakula, Frankenstein und Faust. Lauscht man den Beschreibungen, muss man unwillkürlich an Khomeini denken. Hassan BinSaba, so hieß der Alte, schickte seine Jünger ins Paradies – mittels Rauschgift. Später wünschten sich jene natürlich nichts sehnlicher, als immer wieder dorthin zurückzukehren. Deshalb waren sie zu jeder Schandtat bereit. Der Hexenmeister machte sie zu seinen gefürchteten Schergen und schickte seine Jünger los, um Morde zu verüben. Sie führten jeden Auftrag bedenklos aus, waren sie doch der festen Überzeugung, dafür ins Paradies zu gelangen. Diesem Treiben fielen damals etliche Größen des islamischen Reiches zum

Opfer. Alamut, in dem ein schi'itischer Sonderkult betrieben wurde, war der Inbegriff des Schreckens. Seither glauben manche Historiker, unter Muslimen ebenso wie unter Nicht-Muslimen, die Selbstmordkommandos unserer Tage seien auf jene Tradition zurückzuführen. Das trifft allenfalls sehr bedingt zu, denn Selbstmordkommandos sind ja keineswegs auf den islamischen Orient beschränkt. Betrachtet man die Gruppen politischer Extremisten weltweit, dann stehen im Zahlenvergleich wahrscheinlich Sri Lankas Tamilen an der Spitze jener, die Selbstmordkommandos durchführen. Übertroffen werden sie hierin allenfalls noch von den Kolumbianern.

Die Sicarios von Medellin

In Kalifornien luden 1990 einige aus dem Libanon stammende Studenten, die der Terrorbewegung Hizbullah angehörten, ihren Professor zum Mittagessen ein, damit er ein ihnen unverständliches Phänomen erkläre. Seinerzeit gab es immer wieder Meldungen über Kamikaze-Aktionen junger Kolumbianer, die weder zu religiösen noch zu politischen Zwecken ausgeführt wurden, sondern im Auftrag von Rauschgiftbaronen. Die Zeitungen berichteten beispielsweise über den Fall eines 17-Jährigen, der in einem kolumbianischen Flugzeug zwei Personen erschoss und daraufhin selbst getötet wurde. Er hatte den Mord im Auftrag eines Rauschgiftkartells durchgeführt. Was veranlasst jene Kolumbianer dazu, sich auf diese Weise aufzuopfern, wollten die Hizbullahis aus dem Libanon von ihrem Professor wissen. In ihrer Vorstellung war Selbstmord mit dem Glauben an Gott und den paradiesischen Belohnungen verbunden.

Der Professor verwies sie auf die Studie einer kolumbianischen Wissenschaftlerin über die *sicarios*, wie die Selbstmordkommandos dort genannt werden. Die Autorin wies in ihrer Arbeit nach, dass viele Selbstmordattentäter ihre Tat als Akt der Aufopferung für die Familie betrachten. Junge Männer melden sich für eine Aktion, um Geld zu verdienen, das nach ihrem Tod den Angehörigen ausgezahlt wird. Davon soll zum Beispiel ihre Mutter einen Kühlschrank kaufen können und für die kleine Schwester die nötigen Kleider, damit sie zur Schule gehen kann.

Die libanesischen Schi'iten waren betroffen, als sie von den materiellen Motiven hörten. Inzwischen ist die Situation bei den Palästinensern jedoch längst ähnlich. Für Kamikaze-Unternehmen gibt es durchaus auch materielle Anreize, beispielsweise die Versorgung der hinterbliebenen Familie nach dem Tode des sich Aufopfernden. Unter denjenigen, die ein Selbstmordkommando planten, es jedoch aus diesem oder jenem Grund nicht durchführen konnten, hat man Umfragen über ihre Motivation durchgeführt. Einige gaben unumwunden zu, der materielle Anreiz hätte eine Rolle gespielt. Andere verneinten dies und gaben allein ideologische Gründe an: die Bezwingung des Feindes und der Kampf für die Sache Gottes.

Der Professor rechnete den Hizbullah-Studenten auch noch vor, dass nur etwa die Hälfte der Selbstmordkommandos im Libanon von Mitgliedern der Hizbullah verübt wurden. Die libanesischen Kommunisten und Nationalisten hätten auch ihre jungen »Helden« vorzuweisen, die meisten davon sogar Frauen. Das ginge so weit, dass bei der Hizbullah-Führung Neid aufgekommen sei und einige der Chefs sich plötzlich gegen Selbstmordkommandos aussprachen. Bezeichnenderweise argumentierten sie dabei mit dem islamischen Selbstmordverbot. In Wirklichkeit sahen sie ihre Felle wegschwimmen, weil die Selbstmordaktionen der linken Studentinnen mehr Aufhebens verursachten als die der religiösen Barbudos.

Der Islam verbietet Selbstmord ebenso eindeutig wie der Katholizismus. Als in Kiel ein Marokkaner Selbstmord beging, ließen seine Freunde ihn auf dem islamischen Friedhof in Hamburg beerdigen. Das gelang jedoch nur, indem sie verschwiegen, dass es sich um Selbstmord handelte, denn ein Selbstmörder darf nach islamischem Recht nicht auf einem Friedhof bestattet werden.

Deshalb gab es bei der palästinensischen Islamistenbewegung HAMAS lange Diskussionen über die Frage der Selbstmordkommandos. Zu guter Letzt heißt es dann immer wieder, die Selbstmordaktion sei kein normaler Selbstmord, sondern ein Gott wohlgefälliges Werk. Ziel der Aktion sei doch schließlich die Befreiung der Heiligen Stätten von der Herrschaft der Ungläubigen. Besonders nachdrücklich betont das Yusuf Al-Qaradawi, ein aus Ägypten stammender »Muslim-Bruder«, der an der Universität Qatar Professor für Islamisches Recht ist. Der streitbare Qaradawi, von vielen Islamisten als heutiger Chefideologe verehrt, propagierte die Selbstmordkommandos sogar auf seinen zahlreichen Reisen in die USA. Heute hat er dort deshalb Einreiseverbot.

Viele einfache Leute drücken es ganz prosaisch aus und erklären nüchtern: »Eine andere Waffe haben wir nicht. Wir sind geknechtet und haben keine Möglichkeit uns zu befreien, es sei denn durch die Selbstaufopferung der mutigsten unter unseren jungen Leuten. Gegen unsere Selbstmordkommandos hat der Feind keine Waffe, da ist er machtlos.«

Dem muss hinzugefügt werden, dass bei den Palästinensern und Libanesen die Militanz relativ spät einsetzte. Im Vergleich zu manch anderen Völkern brauchten sie lange, um sich zum bewaffneten Widerstand aufzuraffen. Im algerischen Befreiungskampf gegen die Franzosen kam es zu einer weit größeren Zahl an Kamikaze-Aktionen, doch wurden sie selten als solche bezeichnet. Es galt einfach als natürlich, sich für die Sache aufzuopfern. Man befand sich im Krieg und da war es selbstverständlich, sich in Kampfhandlungen zu begeben, die nur mit dem eigenen Tod enden konnten. Solchen Einsatz mit Selbstmord zu vergleichen fiel niemandem ein.

Der Märtyrerkult in Afghanistan

In Afghanistan war es ähnlich. Die Mudjahidin kamen ständig in Situationen, in denen es wenig Überlebenschancen gab. Selbstverständlich half ihnen dabei ihr Glaube, dass der Tod im Kampf sie zu Märtyrern mache und sie dadurch Zugang zum Paradies erhielten. Doch der religiöse Gedanke war hier nicht der Ausgangspunkt, sondern eine Art Mittel zum Zweck, so wie anderswo Menschen Rauschgift benutzen, um sich Kampfesmut zu machen. Wer auf Nummer Sicher gehen will, der greift zu beidem, zum Glauben ans Paradies und zum Haschisch.

Den Märtyrerkult haben eigentlich erst die arabischen Freischärler in Afghanistan entfacht, und das nahm zum Teil recht widerwärtige Züge an. In den Schriften des 'Abdullah 'Azzam, bin Ladens Mentor, werden die in Afghanistan gefallenen Araber auf eine Weise verherrlicht, die glauben macht, der eigentliche Lebenszweck sei es, sich von Ungläubigen zerfetzen zu lassen, um somit der 72 Jungfrauen habhaft zu werden, die angeblich dem Märtyrer im Paradies zustehen. 'Azzam und seine Gefährten können sich nicht genug darin ergehen, den wunderbaren Zustand der gefallenen Kameraden zu schildern. Deren Leichnam verwese nie, im Gegenteil, er ströme einen lieblichen Geruch aus.

Rechter Arm 'Azzams war lange Zeit Tamim Al-'Adnani, in den Golfstaaten als Kaufmann tätig, der Herkunft nach aber Palästinenser. Der Erscheinung nach alles andere als ein Guerillakämpfer, zog 'Adnani gelegentlich mit den Afghanen durch die Berge. Bei seinen Auftritten in den USA erschien er dann in der Kleidung eines afghanischen Mudjahid. Angesichts seiner Körperfülle ließ ihn dieser Aufputz jedoch erst recht wie Shakespeares Falstaff erscheinen. 'Adnani tourte durch Amerika, um hier Muslime für den Djihad in Afghanistan zu werben. Seine Ansprachen, die noch immer auf Videokassetten erhältlich sind, hielt er dabei auf Englisch. Der Propagandist verspricht den Wagemutigen eine himmlische Belohnung: Jene Mädchen – und auf den Märtyrer warten im Paradies gleich 72 davon – würden sich nicht nur immer wieder in Jungfrauen zurückverwandeln. Sie kennen angeblich auch keine Menstruation, litten nicht an Migräne und hätten nie schlechte Laune. Von Streit könne keine Rede sein.

Vor allem eines kann 'Adnani gar nicht oft genug wiederholen. Die himmlische Belohnung sei doch so einfach zu bekommen. »Du brauchst Dir doch nur ein kleines Stückchen Blei in den Kopf schießen zu lassen. Oder meinetwegen eine Kanonenkugel, wenn Du willst auch eine Rakete. Das ist alles, und geht schnell vorbei. Die Belohnung aber, die hält für alle Ewigkeit an.«

Ironischerweise wurde gerade 'Adnani diese Belohnung nicht zuteil. In Afghanistan, so sagte er, hätte er den sowjetischen Hubschraubern zugewunken, damit sie auf ihn schießen mögen. Er mit seinem Umfang hätte doch ein lohnendes Ziel abgegeben. Doch habe der liebe Gott ihm das nicht vergönnt. 'Adnani starb 1990 in Orlando, Florida, an einem Herzschlag, ausgerechnet beim Besuch von Disney World. Auch er gehörte zu den Freunden bin Ladens, ja er war sogar ein Freund aus frühen Tagen in Pakistan und Afghanistan.

Von einer bestimmten und gemeinsamen Psychologie der Selbstmordkommandos zu sprechen, ist ein schwieriges Unterfangen. Auf einen Nenner sind die vielen verschiedenen Charaktere, Handlungsweisen und Motivationen kaum zu bringen. Vielmehr sehen wir uns einem breiten Spektrum von Vorstellungen und Sichtweisen gegenüber. Aus dem Koran lässt sich dazu kaum etwas ableiten. Der »Tyrannenmord« ist ein universales Phänomen und kein islamisches Spezifikum.

Die Frage nach der Prävention: Haben Geheimdienste und Politik versagt?

Der Terroranschlag auf das World Trade Center in New York machte die Hilflosigkeit von Staaten im Bereich des Katastrophenschutzes der Zivilbevölkerung evident.

Es trat ein Fall ein, den kein Schreckensszenario der Sicherheitsexperten je vorhergesehen hatte. Bislang war man davon ausgegangen, dass Terroristen Flugzeuge kapern und unter der Androhung, sich und die Passagiere in die Luft zu sprengen, Geiseln nehmen, um andere Mittäter aus Gefängnissen freizupressen oder politische Botschaften zu verkünden. Dagegen benutzten die Attentäter vom 11. September 2001 voll besetzte Passagierflugzeuge als Bomben, um Symbole der westlichen Welt zu zerstören und Tausende von Menschen zu töten.

Hätte man diesen Wandel der Terrorstrategien vorhersehen können? Gab es Hinweise hierauf?

Angedacht hatten es in jedem Fall die Anwälte der Angeklagten im Prozess gegen die Bombenleger, die die US-Botschaften in Tansania und Kenia verwüstet hatten. Im Hinblick auf die Frage der Schuldfähigkeit hatten sie eine Katastrophe beschworen, in der ein mit Sprengstoff voll gepacktes Flugzeug als »Waffe« auf dicht bewohntes Gebiet in New York stürzen würde. Auch die Schilderungen eines Zeugen in diesem Prozess machten ein solches Drama vorstellbar. Er führte aus, dass unter den Extremisten verstärkt Piloten zu finden seien und dass in den islamistischen Terrorgruppen besonderes Augenmerk auf eine Pilotenausbildung gelegt werde.

Aussagen, die auf dem Hintergrund der Anschläge in den USA neu bewertet werden müssen. Dabei war bekannt, dass in Afghanistan Piloten der Luftfahrtgesellschaft Air Ariana islamistische Extremisten, darunter Afghanen, Araber und Pakistaner, an ihren drei Boeings trainiert hatten. Neben theoretischen Übungen wurden sie von den Flugkapitänen Abdus Sattar und Faiz sowie durch den pensionierten pakistanischen General Islam Khan auch praktisch geschult.

Ferner gab es Hinweise aus den Golfstaaten, dass etwas Großes passieren würde. Ankündigungen von Osama bin Laden selbst unterstützten dies noch. Im Zusammenhang mit der Gefangennahme von Mitgliedern der Organisation »Shelter-Now« in Afghanistan, einer in Deutschland beheimateten kirchlichen Hilfsorganisation, brachten einzelne Taliban-Minister einen Austausch von Gefangenen in die Diskussion. Ihre Kandidaten waren Abdel Rahman und Mahmud Abuhalima, die in den USA wegen des ersten Anschlags auf das World Trade Center von 1993 im Gefängnis sind. Bei diesem Anschlag detonierten am Freitag den 26.2.1993 in der Parkgarage des World Trade Centers 550 Kilogramm Sprengstoff in einem abgestellten Auto. Die Decke der U-Bahnstation kam zum Einsturz, sechs Menschen wurden getötet und mehr als tausend verletzt. Auf Ersuchen von Familienangehörigen der beiden Gefangenen sollte von den Taliban darüber nachgedacht werden, ob und wie ein Austausch organisiert werden könnte. Von anderen Taliban-Ministern wurde dies allerdings entschieden dementiert. Es zeigt jedoch, wie hoch – neben den Ereignissen in Palästina – die Islamisten den Stellenwert ihrer in New York einsitzenden Gefangenen bewerten.

Dass die Ereignisse vom 11. September 2001 möglich wurden, liegt sicher zum einen darin begründet, dass etwas Derartiges noch »nicht einmal gedacht« wurde. Die Phantasie der Experten streikte – nach dem Motto: Es kann nicht wahr sein, was nicht wahr sein darf. Auch die Beteuerungen von Vertretern verschiedener Pilotenvereinigungen, dass Piloten niemals eine Maschine auf dicht besiedeltes Gebiet steuern würden, müssen nun neu überdacht werden. Die Verantwortlichen wurden gerade von der Tatsache, dass ein Flugzeug nicht das Ziel einer Aktion, sondern Mittel für ein Attentat ist, völlig überrascht.

Die Katastrophe deckt enorme Sicherheitslücken im Konzept zur Terrorabwehr auf. Ganz gleich, ob es sich um die USA oder andere Länder handelt: Die Bevölkerung eines modernen, offenen Staates ist gegen diese Art von Terror nur ungenügend geschützt. Die Einsatzpläne für den Katastrophenfall haben sich im Moment der Wahrheit als papierne Vorlagen erwiesen. Den Beschwichtigungen der Verantwortlichen ist nicht zu trauen. Die Maßnahmen zur Abwehr haben versagt. Schon alleine die Tatsache, dass die Attentäter mit Messern an Bord kamen und die modernen Überwachungsgeräte diese nicht selektierten, zeigen offensichtliche Lücken im Sicherheitssystem. Ein weiterer neuralgischer Punkt in Bezug auf die Sicherheit sind die Firmen, Organisationen und Institutionen sowie deren Mitarbeiter, die auf Flughäfen arbeiten.

Diese Schwächen sind nicht neu, zeigen aber, dass die Prioritäten über lange Zeit falsch gesetzt wurden. Auch in der Einschätzung der Täter und ihrer Ziele muss umgedacht werden. Der Terroranschlag auf New York und Washington hatte zwei ebenso klare wie entsetzliche Ziele: die Zerstörung der Symbole für die Führungskraft der westlichen Welt und die Tötung möglichst vieler Menschen. Das Resultat ist Angst. Die Betroffenheit und das Erschrecken über die Verwundbarkeit unserer »perfekten« Welt macht eine rationale Annäherung an dieses Phänomen extrem schwierig. Doch Terrorismus basiere eben nicht auf gesundem Menschenverstand und elementarer Logik, so der Terrorexperte Walter Laqueur.

Statt Prävention und Aufklärung in Bezug auf Terroranschläge zu betreiben, überwog bei den zuständigen Diensten die Planung für das Management danach: Schadensbegrenzung an Stelle von Prävention. Geprägt vom Geiste des Kalten Krieges wurden immer noch militärische Schläge auf strategisch verwundbare Stellen mit so genannten Massenvernichtungsmitteln erwartet. Von Raketen- bis hin zu Atombombenangriffen, über chemische und biologische Waffen wurden Szenarien entwickelt. Dass Taschenmesser zu wirksamen Waffen werden können, daran hatten die Verantwortlichen nicht gedacht. Warnungen von Terrorismusforschern vor Anschlägen, bei denen Waffen mit geringerer Zerstörungsgewalt benutzt würden als chemische, biologische oder nukleare Waffen, wurden nicht ernst genommen. So hatte die »Gilmore-Kommission«, bezeichnet nach ihrem Vorsitzenden, dem Gouverneur des US-Bundesstaates Virginia, James S. Gilmore, bereits 1999 die Schwächen der US-Terrorabwehr auf heimischem Boden beklagt. In den Bereichen einer Terrorbekämpfung fehle es an einer »kohärenten nationalen Strategie.« Es mangle an einer übergeordneten Organisation der Bundesprogramme, sie sei allenfalls fragmentarisch und unkoordiniert angelegt. Neben den organisatorischen Fehlern wurden auch im Ausrüstungsbereich der unterschiedlichen Behörden erhebliche Mängel festgestellt, die ein gemeinsames Vorgehen erschwerten. Neben dem üblichen Kompetenzgerangel waren deutliche Probleme in der Kommunikation festzustellen: So senden zum Beispiel Polizei und Feuerwehr auf unterschiedlichen Frequenzen und benutzen nicht-kompatible Geräte.

Inwieweit allerdings, selbst bei einer perfekten Struktur aller verantwortlichen staatlichen Stellen, Anschläge wie die auf New York und Washington zu verhindern gewesen wären, bleibt ungewiss. Sicherlich helfen die Maßnahmen, die nun nach den Flugzeugentführungen ergriffen wurden, dabei, weitere Taten zu verhindern. Effektivere Abwehrmaßnahmen sind vor allem im operationalen Bereich der Aufklärung und der Prävention erforderlich, das heißt, die Anti-Terrorabteilungen der Geheimdienste müssen dazu in die Lage versetzt werden, frühzeitig Kenntnisse über derartige Vorhaben zu erlangen.

Der Terroranschlag vom 11. September wurde zwar mit alten Waffen durchgeführt, zeigt aber neue Dimensionen und Grenzen auf. Die Zeitspanne, die zur Vorbereitung der Anschläge benötigt wurde, war wesentlich größer als bei früheren Attentaten. Die Tarnung der Attentäter, die bis zum Schluss völlig legal mitten unter uns lebten, war perfekt. Sie mussten keine Kontakte mit illegalen Waffen- oder Sprengstoffhändlern knüpfen, sie konnten das kriminelle Milieu meiden und legten so auch keine Fährten. Die Hoffnung, durch Kontakte in die Gefängnisse eine Warnung zu erhalten, ist somit gleich null.

Der insgesamt wohl effektivste Ansatz, Vertrauensleute Israels oder des CIA bei Osama bin Laden einzuschmuggeln, ist bislang kläglich gescheitert. Die »Spione« flogen alle auf und konnten sich im Umfeld bin Ladens nicht halten.

Verhütung und Prävention von Terrorakten sind das Gebot der Stunde. Doch hier geht es um weit mehr als um finanzielle und taktische Lösungen. Ein allgemeines Umdenken ist notwendig, welches die entsprechenden Sicherheitsdienste in die Lage versetzt zu agieren. Das beginnt bei der technischen Ausstattung, geht weiter über die Auswahl der Mitarbeiter und betrifft vor allem auch die Wahrnehmung, die häufig durch Vorgaben selektiert wird. Dienste gleich welcher Art untersuchen das, was sie kennen, wofür sie ausgebildet und sensibilisiert sind. Eine noch so gute Ausrüstung und gutes Training können das Gespür für neue Entwicklungen und Gefahren nicht ersetzen, wenn es darum geht, Gefahren abzuwenden.

Sanktionen, militärische Gegenschläge – und was dann?

Die Anschläge auf New York und Washington haben eine breite Koalition entstehen lassen, die wohl bislang einzigartig ist. Am Vorabend eines Krieges werden die Sanktionsmaßnahmen und die Möglichkeiten zur Gegenwehr kontrovers diskutiert. Während die einen (vor allem innerhalb der US-Regierung) einen sofortigen militärischen Gegenschlag gegen die vermuteten Drahtzieher des Attentats befürworteten, mahnten andere zur Ruhe und Besonnenheit, darunter der russische Präsident Putin, aber auch gemäßigte Präsidenten islamischer Länder wie Mubarak in Ägypten.

Da Washington an einer möglichst breiten Unterstützung gelegen ist, wird es wohl auf die Wünsche der Vertreter arabischer Länder eingehen müssen. Dies steht allerdings im Gegensatz zu den Befürwortern eines schnellen, schmerzlichen Gegenschlages. Ein großer Kreis an Entscheidern senkt in der Regel das Tempo und ist auch immer nur so stark wie das schwächste Glied. Viele arabische Staaten, deren Regierungen zwar schnell Beileidskundgebungen und klare Absagen an den Terrorismus verlautbaren ließen, fürchten im eigenen Land gewaltsame Demonstrationen und Sympathiekundgebungen zugunsten Osama bin Ladens. Seinen Sturz können sie letztlich nicht unterstützen. Die Rede des pakistanischen Generals Musharaf vom 19.9.2001, mit der er versuchte, die den USA zugesicherte Unterstützung im Kampf gegen den Terrorismus vor der eigenen Bevölkerung zu rechtfertigen, zeigt die enorme Schwierigkeit dieser Regierung, eine klare Stellung gegenüber den Islamisten im eigenen Lande zu beziehen. Die Demonstrationen in Pakistan und die verschiedenen Aufrufe islamistischer Geistlicher zum Djihad gegen die USA und die eigene Regierung im Fall eines Angriffs auf Afghanistan, weisen auf das Dilemma hin, in dem die Koalitionspartner Amerikas mit muslimischer Bevölkerungsmehrheit stecken.

Doch auch westliche Staaten fragen nach eindeutigen Beweisen und bestehen darauf, dass keine Unschuldigen zu Schaden kommen dürfen. Eine gerechte Forderung. Doch in den Augen der Kritiker dieser Haltung ist das die Garantie für die Sicherheit der Terroristen. Sie begründen ihre Forderung hart und schnell zurückzuschlagen damit, dass dadurch den Unterstützern des Terrorismus eine klare Antwort gegeben werde. Sicher rechnen sie mit Protesten, doch ebenso sicher sind sie sich darin, dass diese ohne weitreichende Folgen bleiben würden.

Das Problem westlicher Demokratien ist, dass sie politisch, militärisch und psychologisch nicht auf eine so harte Vorgehensweise vorbereitet sind. Laqueur führt aus, dass ein direkter Vergeltungsschlag eine beträchtliche Wirkung gezeigt hätte, selbst wenn die Gegenmaßnahmen weder im militärischen noch im politischen Sinn besonders effektiv gewesen wären. »Die paradoxe und perverse Lehre, die aus der Geschichte des Terrorismus gezogen werden kann, ist diese: Selbst wenn man die, die nur am Rande beteiligt sind, schlägt, kann man bemerkenswert vorteilhafte Auswirkungen erzielen. Die USA haben General Gaddafi angegriffen, einen langjährigen Förderer terroristischer Aktivitäten, ungeachtet dessen, ob der Angriff gerechtfertigt war oder nicht. Nach den Attentaten auf die Botschaften in Kenia und Tansania bombardierte die USA eine pharmazeutische Fabrik, in der Annahme, dass dort Giftgas hergestellt würde. Was war das Resultat dieser amerikanischen Fehler? Sowohl Libyen als auch der Sudan haben sich vom Terrorismus distanziert und auch andere Hauptkräfte des Terrorismus waren erschrocken, zumindest für eine Weile. Amerika war ein gefährlicher Rabauke, es schlug zurück, als es angegriffen wurde. Man nahm zu Recht an, dass beim nächsten Mal die wahren Täter zum Ziel der Angriffe amerikanischer Wut werden könnten.«[12]

Skeptiker dieser harten Linie wenden ein, selbst wenn es den USA gelingen sollte, den vermuteten Drahtzieher zu fassen, so stünden seine potenziellen Nachfolger schon bereit. Theoretisch kann das stimmen, aber nicht jeder kann diesen Platz ausfüllen. Dazu gehören unter anderem Charisma, Heldentum, scheinbare Unverwundbarkeit und der permanente Sieg über den vermeintlichen Feind. Persönliche Beziehungen sind in diesem Geflecht zudem das herausragende Merkmal. Wird der Führer kaltgestellt, zerbrechen meist die Strukturen. Auch die Zerschlagung von sicheren Rückzugsgebieten und Ruhepunkten ist eine wesentliche Voraussetzung dafür, den Terrorismus selbst zu zerschlagen. Sind Terroristen erst einmal auf der Flucht, wird die Organisation und Reorganisation sehr schwierig.

Der Flirt mit dem Islam

Eklatant erscheint es, dass die Warnungen und Hinweise auf die kommende Katastrophe nicht entsprechend gewertet wurden. Ein Indiz dafür ist, dass islamistische Gruppen maßlos unterschätzt wurden und man deren Operationsfeld in entfernteren Gegenden wähnte. Ein zweiter wichtiger Punkt war, dass diese Gruppen vor allem von den USA operativ in die Bekämpfung des Kommunismus eingebunden waren.

Ein Resultat des Zweiten Weltkrieges war der Beginn des Kalten Krieges. Die Sowjetunion wurde als größte Bedrohung amerikanischer Interessen vom damaligen Präsidenten Truman identifiziert. Die Ausrichtung der Außen- und Innenpolitik wurde von diesem Gedanken bestimmt. Diese Wahrnehmung sollte noch weitere 50 Jahre bestehen bleiben. In der Folge wurden vom CIA enorme Geldsummen an rechts-konservative Parteien ausgeschüttet, um diese im Kampf gegen den Kommunismus zu stützen.

Zur selben Zeit wurden zunehmend selbstbewusstere Führer in der Dritten Welt als Handlanger des Kommu-

nismus von westlichen »think tanks« geortet. Allen vor-
an der ägyptische Präsident Gamal Abdel Nasser (1954–
1970) und seine fragliche Doktrin vom »arabischen
Sozialismus«. Es kam die Stunde der konservativen Muslime und arabischen Staaten wie Pakistan und Saudi-Arabien. Viele standen dem sowjetischen Kommunismus und
dem »Nasserismus« kritisch bis feindlich gegenüber. Ihre
Reaktion bestand darin, den Islam in politische Strategien
zu übersetzen, da sie den atheistischen Anspruch des
Kommunismus ablehnten. Die Religion des Islam wurde
als politisches Mittel für den Kalten Krieg funktionali-
siert – als eine mächtige Kraft gegen Moskau.

Amerika gewährte den radikalen Fundamentalisten zunächst vorsichtige und meist verdeckte Unterstützung.
Die radikalen Aktivisten wurden in der Folge Islamisten
genannt und waren vor allem unter der ägyptischen Mus-
limbruderschaft zu finden, die ihre Filialen überall in
der islamischen Welt hatte. Sie erhielten Beistand und gelegentlich Geld, wenn sie sich gegen vermeintliche oder
reale Kommunisten wandten.

Dies brachte in den sechziger Jahren ein antisowjeti-
sches und anti-Nasser-Bündnis hervor – den islamischen
Pakt – angeführt vom ultrakonservativen Königshaus in
Saudi-Arabien. Unterstützt wurde dieser Pakt von Pakistan und anderen arabischen Staaten. Damit wurde aus
dem Flirt Amerikas eine Affäre.

Die Affäre Islamismus

Großbritannien und Frankreich bestärkten die USA in
ihrem Vorhaben eines weltweiten antikommunistischen

Paktes mit den Islamisten. Zwar waren die erstgenannten Staaten hauptsächlich darum bemüht, ihren kolonialen oder postkolonialen Status im Nahen und Mittleren Osten, in Afrika und Asien zu erhalten, bezogen aber die postkolonialen Staaten in den antikommunistischen Kampf mit ein. Damit waren deren Aktivitäten es wert, die Unterstützung der USA zu erfahren. Ein wichtiger regionaler Befürworter fand sich in Reza Schah Pahlavi. Pahlavi wurde im Iran mit Hilfe der USA und Großbritannien 1941 gegen den gewählten Präsidenten Mossadegh (Tudeh-Partei, Moskau-orientiert) eingesetzt. In dieser Region bezog sich die Hilfestellung der USA nicht nur auf Potentaten, sondern auch auf Organisationen, die beitragen konnten, die Ausweitung des Kommunismus zu verhindern.

Stellvertretend sei hier die Tablighi Jamaat genannt, eine international tätige islamische Missionierungsorganisation. Diese Organisation bietet sich deshalb als Beispiel an, weil ihre Arbeitsweise hervorragend durch die Zeugnisse aus Tunesien belegt ist und sich Parallelen, enge Verbindungen und Überschneidungen zu der Organisation von Osama bin Laden herstellen lassen. Darüber hinaus bestehen auch Parallelen zu den Taliban: Obwohl die Tablighi beispielsweise eine weltliche Erziehung nicht grundsätzlich ablehnt, kennzeichnet sie dieselbe strikte Orthodoxie, die sich auch bei den Taliban wiederfindet.

Die Tablighi Jamaat

Die Tablighi wurde 1926 in der Region von Mewat in Indien von wenigen muslimischen Missionaren ins Leben gerufen. Als Gründer gilt Maulana Mohammad Ilyas

(1885–1994), der mit der Tablighi ein Gegengewicht zu den militanten missionierenden Hindus aufzubauen suchte. Die Mitglieder der Organisation errichteten ein Netz von Koranschulen, verkündeten das Wort des Propheten, betrieben Mund- zu Mundpropaganda und beschworen die Menschen, Gutes zu tun. Basierend auf ihren persönlichen Beziehungen zu den Missionierten wuchs ihr Einfluss bald über Indien hinaus. Die Tablighi zog ihr Netz über den indischen Subkontinent bis nach Nordafrika, wo die meisten Muslimbrüder mit ihr verbunden waren. Aufgrund von Zeugenaussagen kann heute genau rekonstruiert werden, wie die Tablighi dem CIA und dem pakistanischen ISI halfen, nordafrikanische Muslime für den Krieg in Afghanistan zu rekrutieren. Ein jahrelang gut gehütetes Geheimnis.

Aktivisten der tunesischen En-Nahda (Wiedergeburt) übernahmen diese Aufgabe. Meist standen diese mit der Tablighi durch deren Arbeit in den Moscheen, in Gefängnissen und bei Wohlfahrtsorganisationen in Verbindung. Die En-Nahda-Aktivisten kamen zumeist aus den nach französischem Vorbild aufgebauten Schulen (ähnlich wie in Algerien) und Universitäten, die sich im Widerspruch zu dem vorgegebenen Modernisierungsschub der Regierung befanden. Die Tablighi versprach ihnen ein kostenloses Religionsstudium sowie Reisen nach Pakistan, meist in die Gegend von Lahore. Nach sechswöchigem religiösen Training wurde ihnen von einem ISI-Offizier die Möglichkeit eingeräumt, an Waffen ausgebildet zu werden. Dies waren zunächst nach offizieller Leseart »Selbstverteidigungskurse«, die nach und nach auch in Angriffstechniken unterwiesen. Fiel einer der Schüler positiv auf, so wurde er in europäischen oder amerikanischen Einrichtungen einem Spezialtraining unterzogen oder von dortigen Ausbildern trainiert. Anderen Adepten offerierte man Reisen nach Europa, speziell nach Frankreich und Deutschland. In Deutschland wurden bevorzugt Städte wie Aachen, Hamburg und München sowie Städte im Ruhrgebiet angelaufen, wo aktive Zellen der Muslimbrüderschaft tätig waren.

Die Islamisten, die es nach Afghanistan verschlagen hatte, konnten häufig nicht in ihre Heimatländer zurückkehren. So waren zum Beispiel viele Algerier vor dem Wehrdienst geflüchtet und wurden gesucht. Tunesien wurde von schweren Unruhen heimgesucht, die selbst dann anhielten, als Präsident Bourgiba den Dialog mit den Islamisten suchte. 1986 übernahm daraufhin General Ali mit seinen Polizeieinheiten das Ruder und ging hart gegen Terroristen in Tunesien vor. Universitäten wurden nach Sympathisanten durchsucht und Verlage, die islamistische Zeitungen oder Bücher gedruckt hatten, wurden geschlossen. Über 1.500 Verdächtige wurden eingesperrt. Gleichzeitig setzte man sich mit den USA in Verbindung und forderte strikt eine Rückführung der in Afghanistan und Pakistan trainierten tunesischen Freiwilligen. Dies geschah in den meisten Fällen und warf ein bezeichnendes Licht auf das internationale Netzwerk. Tunesien beschwor durch seine Maßnahmen zwar viel Kritik herauf, aber im Gegensatz zu Ägypten und Algerien konnte sich der Terror daraufhin nicht weiter ausbreiten.

Viele Aktivisten aus Ägypten, Algerien und den Golfstaaten blieben wie gesagt in Afghanistan und Pakistan. Dort wurden sie ausgebildet und absolvierten spezielle Trainingsprogramme für terroristische Maßnahmen, die zumeist durch private saudi-arabische oder andere arabische Stiftungen finanziert wurden.

In den USA wurden in verschiedenen Städten Rekrutierungsbüros für die Anwerbung islamischer Jugendlicher eröffnet, darunter in New York, Detroit, Los Angeles und anderen Städten mit großen arabischen Minderheiten. Das Al-Kifah-Afghan-Refugee-Center in Brooklyn war von dem HAMAS-Gründer und früheren charismatischen Guerillaführer 'Abdullah 'Azzam zum Stützpunkt erwählt worden. Der Weggefährte von Osama bin Laden setzte Mustafa Chalaby als seinen Statthalter ein. Beide bereisten die gesamte USA und sammelten Spenden und Freiwillige für den Djihad in Afghanistan, bis Chalaby 1987 durch eine Autobombe in Pakistan getötet wurde. Sein eigener Stellvertreter wurde 1991 ermordet, vermutlich bei einer Auseinandersetzung um die Vorherrschaft des Centers mit dem blinden, von der CIA aus Ägypten angeworbenen Scheich Omar Abder Rahman. Letzterer wurde später überführt, das Attentat auf das World Trade Center von 1993 geplant und ausgeführt zu haben. Auf seiner Liste möglicher Ziele seiner Terror-Attentate standen auch der Sitz der Vereinten Nationen, das FBI-Hauptquartier und Regierungsgebäude.

Unter Präsident Carter hatte das Programm begonnen, »heilige Krieger« zu trainieren, die gegen die Feinde Amerikas – also gegen Kommunisten – kämpfen sollten. Unter Reagan wurden diese Programme intensiviert, was auch die direkte Ausbildung in den USA beinhaltete (Fort A. P. Hill, Camp Pickett, Virginia Grenn Berets und US Navy SEALS instruierten die Adepten). 1988 organisierte Tablighi einen Konvent in den USA, zu dem über 6.000 Muslime aus aller Welt kamen. Das jährliche Treffen in Raiwind bei Lahore gilt als das zweitgrößte muslimische Ereignis nach dem Hadj in Mekka. Über eine Million

Muslime aus über 90 Ländern nehmen daran teil. Obwohl die Tablighi ursprünglich als eigenständige Organisation begonnen hatte, ist sie heute ein Teil des terroristischen islamistischen Netzwerks.

Das Beispiel der Unterstützung der Islamisten durch die USA zeigt deutlich, wie sich eine kurzfristig angelegte Strategie in ihr Gegenteil verkehren kann. Die Rede vom Zauberlehrling macht die Runde. Bezogen auf Sicherheitsfragen heißt das, dass Ermittlungen auf der einen Seite sinnlos sind, wenn terroristische Organisationen auf der anderen Seite durch Staaten gezielt gefördert werden. Welche Behörde oder welcher Dienst soll eine solche Dichotomie des Denkens institutionell umsetzen?

Die USA und Europa, die heute den Bündnisfall erklären, stehen vor dem Dilemma, dass sie jetzt das mit Stumpf und Stiel ausmerzen wollen, was sie gestern noch unterstützt haben. Welchen Krieg wollen sie gegen die Dunkelmänner des Terrorismus führen? Es ist kein Kulturkampf zwischen Islam und Christentum, kein Kampf gegen fassbare, lokal verankerte Strukturen, sondern eine Herausforderung der zivilen Welt, gegen den Terrorismus zu bestehen. Der Terrorismus, der auf religiösen oder nationalistischen Impulsen basiert, ist kein muslimisches Monopol. Man findet ihn unter Christen, Juden, Hindus auf den verschiedenen Kontinenten dieser Welt. Vornehmlich in Staaten, die das Tempo der globalen Entwicklung wirtschaftlich, politisch und kulturell nicht mitgehen konnten, darunter auch viele islamische Staaten. Die Ohnmacht der Menschen äußert sich in Wut und Hoffnungslosigkeit, deren Ursache nur allzu häufig bei fremden Mächten gesucht wird. Selbstkritik findet kaum statt. Außenstehende können an diesem Zustand nur wenig ändern.

Sicher muss den Terroristen das Handwerk gelegt werden. Solange Länder wie Afghanistan zur Spielwiese internationalen Schmuggels, Rauschgifthandels, Waffenschmuggels und terroristischer Vereinigungen werden, bleibt die Bedrohung immens. Den Terroristen diese Basis zu entziehen, findet nicht nur Zustimmung im Westen, sondern und vor allem auch in Afghanistan, dessen Bevölkerung zu Geiseln eines politisch motivierten und religiös verbrämten, kruden Islams geworden ist.

Ausblick

Die Ausblicke sind gewiss nicht rosig. Man stelle sich vor, Osama bin Laden werde festgenommen oder getötet, seine wichtigsten Führer ebenso, die Basen in Afghanistan werden zerstört und die damit zusammenhängende Terrorismus-Infrastruktur in anderen Ländern auch. Das würde sich auf die Sympathisanten erst einmal dämpfend auswirken. Mit großer Wahrscheinlichkeit würden die bisher sehr nachgiebigen Regierungen mehrerer Staaten eine striktere Position beziehen. Das gilt besonders für die arabischen Staaten, die sich bislang ambivalent verhalten haben, aber auch für solche Länder wie Malaysia, die doppelzüngig handelten, indem sie auf der einen Seite die Terroristen finanzierten, auf der anderen aber scheinheilig um Unterstützung bei der Bekämpfung des Terrorismus baten. Hier gäbe es ganz sicher positive Veränderungen, denn bis jetzt herrschte die Meinung vor, die Islamisten seien im Kommen, und da wollte man sich rückversichern. Wenn die Islamisten heute im Geld schwimmen, so liegt das im Wesentlichen an den Zuwendungen durch das Öl reich gewordener Muslime, die um die Zukunft ihrer Privilegien bangen.

In die Amerikaner setzen diese Menschen wenig Vertrauen, haben sie doch meist schnell Reißaus genommen (aus dem Libanon, aus Somalia. Sie haben weder Gadhafi noch Saddam beseitigt. Der irakische Diktator hat die Amerikaner folgendermaßen charakterisiert: »Die können doch nicht einmal zehntausend Tote verkraften.«

Osama bin Laden meinte einmal, er und seine Djihad-Kameraden wären recht erstaunt gewesen, als sie feststellten, welch schlechte Kämpfer die Russen seien. Doch im Vergleich zu den Amerikanern nähmen sich die Russen als Helden aus. Die Amerikaner seien keine Soldaten, das hätte man in Somalia gesehen.

Washington muss nun erst einmal dieses von seinen Feinden voller Verachtung gezeichnete Bild korrigieren und sich durch eine konsequente politische Linie wieder Respekt und die notwendige Glaubwürdigkeit verschaffen. Damit wäre schon eine Schlacht gewonnen. Gerade die opportunistischen Golfstaaten würden es dann wagen, gegen die Islamisten anzugehen statt wie bisher zu versuchen, sich deren Gunst zu erkaufen.

Beispiel: Der Herrscher des kleinen, aber sehr reichen Golfstaates Qatar wetterte in einem Interview derart über die Terroristen, dass der Eindruck entstand, ein besserer Verbündeter im Widerstand gegen den Islamismus ließe sich gar nicht finden. Doch dann kam der große Widerspruch. Auf die Frage, weshalb er den islamistischen Chefideologen Yusuf Al-Qaradawi in seinem Lande dulde, schien der Landesherr ganz verdutzt. Was habe denn dieses Thema mit Qaradawi zu tun, der sei doch ein traditioneller islamischer Gelehrter?

Das ist jedoch der Ägypter Qaradawi ganz und gar nicht, vielmehr gehört er zu den islamistischen Propagandisten, die jene Art von Literatur produzieren, die junge Menschen zu Djihadisten werden lässt, wie seinerzeit Osama bin Laden. In Frankreich wurde ein Buch Qaradawis wegen Verfassungswidrigkeit verboten, und zwar nicht weil französische Sicherheitsbeamte daran Anstoß nahmen, sondern weil einsichtige Muslime von Rang dafür eintraten, derlei Verbildung im Namen des Islam zu unterbinden.

In den USA dagegen werden Qaradawis Schriften mit Erfolg vertrieben. Eine wichtige Rolle spielt dabei das gewaltige Netzwerk islamistischer Institutionen, die amerikanischen Stellen gegenüber angeben, die fünf Millionen starke Gemeinde amerikanischer Muslime zu vertreten. Hier ist es müßig, nach »Schläfern« zu suchen und sie zu zählen. Dank ihrer gezielten Einschleusung in den letzten Jahrzehnten gibt es sie zu Tausenden. In Pakistan kamen Islamisten 1977 an die Macht, im Sudan 1989. In beiden Staaten wurden den Parteigenossen an den Universitäten schnell gute Abschlusszeugnisse ausgestellt, mit denen diese dann rasch ein Visum für Kanada oder die USA erhielten. In Amerika angekommen nahm sich sofort das Netzwerk ihrer an. Auf diese Weise kam es zu einer starken Präsenz von Islamisten in den USA. Dort gibt es wie in keinem anderen Staat der Welt eine Zusammenballung von geschultem islamistischen Personal und Finanzkraft. Das geben die Amerikaner auch zu, lässt es sich doch nicht mehr verhehlen.

Die große Masse der nicht-islamistischen Muslime nimmt das kaum zur Kenntnis. Sie sind froh in Amerika zu sein, sind doch die meisten von ihnen Flüchtlinge aus zahlreichen Kriegen.

Viele der Islamisten haben in den USA so phänomenale Karrieren gemacht, dass sie nun Amerika erhalten möchten, statt es zu zerstören. Sie sind der Meinung, die USA ließen sich auch so infiltrieren und übernehmen, deshalb hat sich ihre Perspektive radikal verändert. Sie halten die von Djihadisten wie Osama bin Laden angestrebte Zerstörung Amerikas für sinnlos. Warum in den Krieg ziehen, wenn man es viel leichter haben kann? Warum Selbstmordattentate, wenn man hier Freiheiten und Möglichkeiten besitzt wie nirgendwo anders. In beiden Parteien, Republikanern und Demokraten, sitzen inzwischen Islamisten auf hohen Posten, wie etwa der HAMAS-Aktivist Khaled Saffuri. Dessen Washingtoner »Islamisches Institut« befindet sich in einem Republikanischen Parteibüro und dient eigentlich nur als Schaltstelle der Islamisten zu den Republikanern. Dann gibt es Islamisten wie den in Pakistan gebürtigen kalifornischen Milliardär Safi Qureishy, der dank seiner finanziellen Zuwendungen über beachtlichen Einfluss in der Republikanischen Partei verfügt.

Erlebt man hier eine Zähmung der Islamisten? Keineswegs. Die Querverbindungen zu Extremisten wie den Attentätern vom 11. September 2001 sind zahlreich. Vor allem aber wird in den USA selbst eine neue Generation von Extremisten herangezogen, deren Begeisterung über den Djihad unübertroffen ist. Im Gegensatz zu bin Laden wollen sie den Djihad nicht in Amerika betreiben, sondern in anderen Weltgegenden. So ziehen sie denn zum Beispiel nach Afghanistan, nach Kashmir oder Tschetschenien, um im Djihad zu kämpfen.

Eine Lösung des bin Laden-Problems, selbst wenn es eine umfassende Lösung sein sollte, wird keine Lösung des Djihad-Problems sein. Um mit dem Djihad-Wahn fertig zu werden, muss der Islamismus gründlich angegangen werden. Hier muss analysiert werden, worum es sich handelt: um eine regionale Spätform des Faschismus.

Es ist ein Trugschluss zu glauben, harte und umfassende Maßnahmen (auch schulischer Art) gegen den Islamismus seien ein Affront für den Islam und ein Ausdruck der Feindseligkeit gegenüber den Muslimen. Im Gegenteil, einer der wichtigsten Schritte sollte sein, den Muslimen ihre eigene Furcht vor den Islamisten zu nehmen. Bisher fühlen sich unabhängige Muslime, die ebenfalls Teil jener zivilisierten Welt sind, gegen die sich der Hass der Islamisten richtet, in ihrem Kampf gegen diesen fanatischen Extremismus allein gelassen. Für Amerika und Europa wird es höchste Zeit, in einer weltweiten Allianz, der auch die muslimischen Staaten angehören müssen, gegen diese gewaltverherrlichende Form des Fanatismus vorzugehen.

Zeittafel: Afghanistan

6.–4. Jahrhundert v. Chr.
Das Gebiet des heutigen Afghanistan ist Teil des persischen Achämeniden-Reichs.

300–327 v. Chr.
Eroberung durch Alexander den Großen.

3./4. Jahrhundert
Persische Sassaniden erobern das Gebiet des heutigen Afghanistan zu großen Teilen.

7.–10. Jahrhundert
Arabisch-islamische Durchdringung.

13./14. Jahrhundert
Herrschaftsbereich der Mongolen.

1747
Ahmad Khan Abdali wird König.
Gründung Afghanistans.

1839–1842

1. Britisch-Afghanischer Krieg mit einer verheerenden Niederlage der Briten.

1878–1880

2. Britisch-Afghanischer Krieg. Anerkennung der britischen Oberhoheit im Vertrag von Gandomak.

1893

Vertrag über die Festlegung der heutigen Grenzen Afghanistans entlang der so genannten Durand-Linie, die das Paschtunen-Gebiet durchläuft.

1918–1919

3. Britisch-Afghanischer Krieg. Die Briten erkennen die Unabhängigkeit Afghanistans an.

1919–1929

Regentschaft des Reformkönigs Amanullah. Einführung des Kabinettsystems, Säkularisierung der Verwaltung, Abschaffung des Schleierzwangs.

1929

Regentschaft von König Habibullah II. (auch Sohn des Wasserträgers genannt). Weitere sozialrevolutionäre Reformen.

1929–1933

General Mohammad Nadir Khan (Vetter Amanullahs) vereinigt die Paschtunen-Stämme, erobert mit Hilfe der Briten Kabul und stürzt Habibullah.

1964

Unter Mohammad Zahir (Sohn des Nadir Schah) tritt eine neue Verfassung in Kraft. Er benennt einen bürgerlichen Ministerpräsidenten.

Gründung der Demokratischen Volkspartei Afghanistan (DVPA).

1965

Erste Parlamentswahlen.

Gründung der hauptsächlich von Intellektuellen getragenen säkularistischen Reformbewegung Scho'la-ye dschawid (»Ewige Flamme«), die wegen ihrer unabhängigen Position rasch Anhänger gewinnt.

1966

DVPA zerbricht in Khalq (Volk), Partscham (Fahne) und Setam-e melli (Bewegung gegen die Unterdrückung der Nationalitäten).

1973

Prinz Mohammad Daud (Vetter von Zahir Schah) putscht und gründet die Republik Afghanistan.

1978

DVPA-Offiziere putschen gegen Daud und rufen die sozialistische Volksrepublik Afghanistan aus.

1978/79

Präsident Tarakis Versuche, Reformen und Verstaatlichungen durchzuführen provozieren einen Volksaufstand.

1979

Bei einem Machtkampf zwischen dem Khalq- und dem

Partscham-Flügel wird Präsident Taraki ermordet. Neuer Präsident wird Tarakis Stellvertreter Hafizullah Amin. Im Dezember steht ein breites Bündnis afghanischer national-demokratischer Widerstandskämpfer unmittelbar vor der Eroberung Kabuls. Am 27. Dezember kommt es zur Invasion sowjetischer Truppen. Präsident Amin verteidigt sich und wird erschossen.

1980

Amtseinführung des Partscham-Vorstizenden Babrak Karmal als Präsident von Afghanistan.

1980–1986

Trotz der Anwesenheit von 100.000 Sowjetsoldaten kann der Widerstand nicht gebrochen werden.

Ab 1980

Aufbau der islamistischen Parteien außerhalb Afghanistans. In den von den islamistischen Parteien kontrollierten Lagern werden die Flüchtlinge zwangsrekrutiert. Kampf gegen den authochtonen Widerstand.

Pakistan lässt nur islamistische afghanische Parteien zu, die deshalb »Peshawar-Parteien« genannt werden:

a. Hezb-e islami afghanistan (Islamische Partei Afghanistans, Gulboddin Hekmatyar).

b. Dschamiat-e islami afghanistan (Islamische Gemeinschaft Afghanistans, Prof. Borhanoddin Rabbani).

c. Hezb-e islami afghanistan (Islamische Partei Afghanistans, Mauwlawi Yunos Khales).

d. Dschabha-ye islami afghanistan (Islamische Allianz zur Befreiung Afghanistans, Mauwlawi 'Abdorrabb Rasul Sayyaf).

e. Mahaz-e melli-ye islami afghanistan (Nationale

Islamische Front Afghanistans, Pir Seyyed Ahmad Gailani).

f. Dschabha-ye melli-ye nejat-e afghanistan (Nationale Front zur Rettung Afghanistans, Professor Sebghatollah Mojadeddi).

g. Harakat-e enqelab-e islami (Revolutionäre islamische Bewegung, Maulawi Mohammad Nabi Mohammadi).

Folgende schi'itischen Parteien sind heute in der Hezb-e wahdat (Einheitspartei) zusammengefasst:

a. Sazman-e nasr afghanistan (Afghanische Siegesorganisation, Scheich Sadeq Mazari, 1995 von den Taliban ermordet).

b. Sepah-e pasdaran-e enqelab-e afghanistan (Afghanische Revolutionswächter, Hojatoleslam Scheich Akbari).

c. Nahzat-e azadibaksch (Befreiungsrenaissance, Seyyed Mehdi Haschemi).

d. Islam mektab-e tauhid (Islamische Schule der göttlichen Einheit, Scheich Asadollah Noktehdan).

e. Hezbollah (Gottespartei).

f. Hezb-e ra'd-e islami (Partei der islamischen Macht, Mohaqqaq und Mohammad Hasan Karimi).

g. Sazman-e mostazafin (Die Bewegung der Geknechteten).

h. Harakat-e islami-ye afghanistan (Islamische Bewegung Afghanistans, Ayatollah Scheich Asef Mohseni).

i. Schura-ye enqelab-e ettefaq-e islami (Revolutionsrat der islamischen Einheit, Scheich Seyyed 'Ali Beheschti).

Die national-demokratischen Parteien (in Pakistan und im Iran offiziell nicht zugelassen):

a. Dschabha-ye mottahad-e melli-ye afghanistan (NEFA) (Nationale Einheitsfront Afghanistans, Führungsrat).

d. Sazman-e azadibakhsch-e mardom-e afghanistan (SAMA), (Afghanische Volksbefreiungsorganisation, Führungsrat).

e. Afghan Mellat (Afghanische Nation, Dr. Amin Wakman, Sprecher: Anwar ul-Haq Ahady).

f. Paschtunische Sozialdemokratische Partei, Dr. Stori).

e. Setam-e melli (Gegen Unterdrückung der Nationalitäten, Taher Badakhschi).

f. Scho'la-ye jawid (Ewige Flamme, kollektive Führung).

1984
Ausschaltung der wichtigsten unabhängigen Widerstandsgruppen mittels des »Islam Killing«, wie die Afghanen den Bruderkrieg nannten.

1986–1992
Machtwechsel von Andropow zu Gorbatschow im Kreml. Najibullah putscht unblutig gegen Karmal und wird Präsident. Aufbau lokaler Milizen, Dostam wird wichtigster Milizenchef.

1987
Abschluss der Genfer-Gespräche, die den Rückzug der Sowjets innerhalb von 16 Monaten vorsehen.

1989
Putschversuch General Tanais gegen Najibullah mit Hilfe der Hezb-e islami Hekmatyar. Tanai flüchtet nach Pakistan und schliesst sich später den Taliban an.

1990
Zunehmende Ethnisierung des Konflikts.

1991

Najibullah versucht, die Armee zu säubern und scheitert an den tadschikischen Generälen Momen und Halim.

1992

Gründung der Dschombesch-e melli-ye islami (Islamische Nationale Bewegung), die sich mit Dostam und Mansur (Ismailitenführer) verbündet. Nordafghanistan ist de facto unabhängig.

1992

Die Schura-ye jihadi (Djihad Rat) übernimmt die Macht in Kabul.

Pakistan besteht auf einer Vertretung bestehend aus den islamistischen Führern.

Modjadeddi wird 1. Präsident. Nach drei Monaten folgt Rabbani, der sein Amt nicht mehr aufgibt. Die Kämpfe zwischen Hekmatyar und Mas'ud/Rabbani nehmen an Intensität zu, ebenso die zwischen Wahdat und Sayyaf.

1993

Gründung der Schura-ye jihadi-ye islami (Islamischer Djihad Rat): bestehend aus Dschombesch, Schura-ye nezar (Mas'ud), Harakat-e enqelabi islami (Mansur), Wahdat (Mazari). Eine säkulare, demokratische Regierungsform ist beabsichtigt. Die von Pakistan ausgerüsteten und diplomatisch unterstütztenTaliban treten im Süden Kandahars erstmals in Aktion.

1996/97

Dank saudischer Finanzierung erobern die Taliban Dreiviertel des Landes. Taliban-Einmarsch in Djalalabad und Kabul. Ihre Regierung wird jedoch nur von Pakistan, Saudi-Arabien und den VAE anerkannt.

Bildung einer Anti-Taliban Allianz aus Dschombesch (Dostam), Schura-ye nezar (Ma'sud), Wahdat (Khalili), Ismaiiliten (Mansur) und Mahaz (Gailani). Taliban erleiden erste Niederlagen.

1998

Die Taliban erobern Mazar-e Scharif, auch »Hauptstadt des Nordens« genannt, und erfahren gleichzeitig ihre schwerste Niederlage im Krieg.

1999

Rückeroberung von Mazar durch die Nordallianz, das bald darauf erneut von den Taliban eingenommen wird.

2000

Die Taliban erobern Takhar, das Hauptquartier der Nordallianz.

2001

Ermordung Mas'uds durch ein aus zwei algerischen Anhängern des saudischen Islamisten Osama Bin Laden bestehendes Selbstmordkommando.

Die USA drohen den Taliban mit einem Militärschlag, falls sie den Terroristen-Führer Osama bin Laden, der hinter der Terrorwelle in den USA vermutet wird, nicht ausliefern.

Literatur

ALLAN, P.; KLÄY, D.: Zwischen Bürokratie und Ideologie – Entscheidungsprozesse in Moskaus Afghanistankonflikt. Bern, Stuttgart, Wien, 1999.

ANDERSON, G.; DUPREE, NANCY H.: The Cultural Basis of Afghan Nationalism. London, 1990.

AUSTER, BRUCE: An Inside Look at Terror Inc. U.S. News & World Report, 19.10.1998.

COOLEY, JOHN K.: Unholy Wars – Afghanistan, America and International Terrorism. London, 20002.

CORDOVEZ, D.; HARRISON, SELIG S.: Out of Afghanistan. Oxford, 1995.

CZEMPIEL, E. O.: Machtprobe – Die USA und die Sowjetunion in den achtziger Jahren. München, 1989.

DAVIDSON, A.; HJUKSTRÖM, P. (EDS); DUPREE, NANCY H.; FÄNGE, A.; HYMAN, A.; KEATING M.; ROY, O.: Afghanistan, Aid and the Taliban: Challenges on the eve of the 21th century. Stockholm, 1999.

DURAN, KHALID: Children of Abraham: An Introduction to Islam. New York, 2001.

DURAN, KHALID: Islam und politischer Extremismus. Hamburg, 1985.

EDWARDS, DAVID B.: Heroes of the Age – Moral Fault Lines on the Afghan Frontier. Berkeley, London, 1996.

GALEOTTI, MARK: Afghanistan: The Soviet Union's Last War. London, 1995.

GLATZER, B.: Nomaden von Gharjistan. Wiesbaden, 1977.

HALLIDAY, F.: Islam & The Myth of Confrontation. London, 1996.

HUSSEIN, I.: Pukhtoo Tribes along the Pak-Afghan Border. Islamabad, 2000.

JALALZAI, M.K.: The Pipeline War in Afghanistan. Lahore, 2000.

KAKAR, H.: Afghanistan – The Soviet Invasion and the Afghan Response. 1979-1982. Berkeley, 1995.

KHALID, DURAN: Islam und politischer Extremismus. Hamburg, 1985.

LABER, JERI RUBIN; BARNETT R.: A Nation is Dying – Afghanistan under the Soviets 1979-1987. Evanstan, 1988.

LAQUEUR, WALTER: The new terrorism. Fanaticism and the arms of mass destruction. Oxford, 1999.

MAASS, CITHA D.; REISSNER, JOHANNES: Afghanistan und Zentralasien. Entwicklungsdynamik, Konflikte und Konfliktpotential. Ebenhausen, 1998.

MAASS, CITHA D.; REISSNER, JOHANNES: Afghanistan und Zentralasien. Entwicklungsdynamik, Konflikte und Konfliktpotential. Teil A: Dachstudie. Ebenhausen, 1998.

MAASS, CITHA D.; REISSNER, JOHANNES: Afghanistan und Zentralasien. Entwicklungsdynamik, Konflikte und Konfliktpotential. Teil B: Hintergrundanalysen. Ebenhausen, 1998.

MAGNUS; NABY: Afghanistan Mullah, Marx and Mujahid. Oxford, 1998.

MALEY, WILLIAM: Fundamentalism Reborn? Afghanistan and the Taliban. Canberra, 1998.

MALEY, WILLIAM: The Foreign Policy of the Taliban. New York, 1999.

MALLESON, G. B.: History of Afghanistan. Peshawar, 1984.

MARSDEN, P.: The Taliban. London, 1999.

MATINUDDIN, K.: The Taliban Phenomen Afghanistan 1994-1997. Oxford, 1999.

MOUSAVI, S.A.: The Hazaras Of Afghanistan. Richmond, 1991.

NASIR, ZAHRAH B. K.: The Guntree – One Woman's War. Oxford, 2001.

NEWELL; NEWELL: The Struggle for Afghanistan. Ithaca, 1981.

OLESEN, ASTA: Islam and Politics in Afghanistan. Richmond, Chippenham, 1995 (Curzon Press).

PHILLIPS, JAMES: The Canging Face of Middle Eastern Terrorism. Heritage Foundation Backgrounder Nr. 1005, 6.10.1994.

POHLY, MICHAEL: Krieg und Widerstand in Afghanistan – Ursachen, Verlauf und Folgen seit 1978. Berlin, 1992.

POLADI, H.: The Hazaras. Stockton, 1989.

RASHID, AHMED: Taliban. London, 2000.

ROY, OLIVIER: Islam and Resistance in Afghanistan. Cambridge, 1986.

ROY, OLIVIER: The Failure of Political Islam. London, 1999.

RUBIN, BARNETT R.: The Fragmentation of Afghanistan – State Formation & Collapse in the International System. Lahore, 1996.

SAMIMY, S. M.: Hintergründe der sowjetischen Invasion in Afghanistan. Bochum, 1981.

SCHETTER, CONRAD J.; WIELAND-KARIMI, A.: Afghanistan in Geschichte und Gegenwart. Frankfurt am Main, 1999.

SHAUKAT, ALI: Dimensions & Dilemmas of Islamist Movement. Lahore, 1998.

STEINBACH, UDO; ROBERT, R.: Der Nahe und Mittlere Osten. 2 Bände. Opladen, 1988.

STEUL, W.: Paschtunwali – Ein Ehrenkodex und seine rechtliche Relevanz. Wiesbaden, 1981.

TAPPER, NANCY: A Bartered Brides – Politics, Gender and Marriage in an Afghan Tribal Society. Cambridge, 1991.

TRIMINGHAM, SPENCER J.: The Sufi Orders in Islam. Oxford, 1971.

VENTER, AL: Bin Laden's Tripartite Pact. Jane's Intelligence Review, 1.11.1998.

VERMEULEN, HANS; GOVERS, CORA: The Anthropology of Ethnicity. Amsterdam, 1994.

WIELAND-KARIMI, A.: Islamische Mystik in Afghanistan. Stuttgart, 1998.

YERMAKOV, OLEG: Afghan Tales – Stories from Russia's Vietnam. New York, 1993.

YOUSAF, MOHAMMAD: Silent Soldier. Lahore, 1992.

YOUSAF, MOHAMMAD; ADKIN, MARK: The Bear Trap – Afghanistan's untold Story. Lahore, London, 1992.

Anmerkungen

[1] S. Tasrîhâtî, Rûzu l-Yûsuf, Nr. 3686, 1. 2., 1999, S. 12.

[2] S. Ahmed Rashid, Taliban: Militant Islam, Oil and Fundamentalism in Central Asia (New Haven – London: Yale University Press, 2000).

[3] Video-Aufzeichnung der Freitagspredigt bin Ladens am 10. Jahrestag der amerikanischen »Besatzung« Arabiens.

[4] M. Salâh, misr: dammu-l-islâmbûlî ilâ lâ'ihati-l-muttahamîn, Al-Hayât, 2.2.1999, S. 5.

[5] S. Muhammad Salâh, Al-ahkâm fî qadíyati 'l-'â'idún min albâniya', Al-Hayât, 19.4.1999, S. 5.

[6] See M. Ash-Shâfi'î, milafât at-tahqîq ..., Ash-Sharq Al-Awsat, 16.4.1999, S. 7.

[7] See M. Salâh, Al-qâhira ..., Al-Hayât, 10.2.1999, S. 7.

[8] S. lughzu wafâti l-banshîrî, Al-Wasat, Nr. 370, 1.3.1999, S. 29.

[9] S. Muhammad Salâh, ... mâlîziyâ mahattatun li-a'dâ'i l-'jihâd', Al-Hayât, 19.2.1999, S. 5.

[10] S. Khâlid Sharafuddîn, binlâdin tarâja' 'an dukhûl misr ..., Ash-Sharq Al-Awsat, 8.3.1999, S. 8.

[11] CIA-Direktor George J. Tenet bestätigte die Gefahr in seiner Aussage vor dem ausgewählten Senatskommittee für Geheimdienst – »The Worldwide Threat in 2000: Global Realities of Our National Security«; 2.2.2000. »Sunni Extremists,« Middle East Quarterly. June 2000, S. 89-90.

[12] Walter Laqueur, Die Welt, 18.9.2001.